La llave que te di

Sin Horizontes Narrativas, 17
Colección dirigida por Luis Valera

© Del texto: Agustín Santos Martín
© De esta edición: Brosquil Ediciones, SL
Plaza Pintor Segrelles, 1 Esc. B Pta. 25
46007 Valencia
www.brosquilediciones.com
alejandro@brosquilediciones.e.telefonica.net

Diseño de la colección: El gos Pigall, SL
Fotografía de portada y contraportada: Agustín Santos
Editor literario: Luis E. Valera Muñoz
Maquetación: Magalí Urcaray
Primera edición: Mayo 2008
Impresión: **Gráficas Rógar, S. A.**
ISBN: 978-84-9795-293-4
Depósito Legal: M-24.805-2008

Para mi hija

CAPÍTULO 1

Luis Pons se abrochó la bata antes de entrar en la habitación 162 del hospital. No era un gesto involuntario. Un supervisor tenía que ser ejemplar en su comportamiento.

A modo de saludo hizo un comentario sobre el buen aspecto que mostraba Mateo, quien no tenía ya las poleas y tracciones que había soportado las semanas anteriores.

—La habitación está mucho mejor sin tantos tubos —reconoció el accidentado extendiendo sus manos gruesas—. Ahora es toda mía porque esta mañana se ha marchado Miguel el Cojo. Se lo comentaba a este señor, que es amigo suyo; ha venido a verle y se ha encontrado con que ya tenía el alta.

«Este señor» era un hombre de labios finos y perfil redondeado, vestido con traje azul oscuro y americana cruzada; aunque no llegaría a los cuarenta años mostraba abundantes canas sobre las sienes. Tenía una mano en el bolsillo, se pasó la otra por el pelo, peinado hacia atrás, y comentó casi en voz baja:

—Acabo de enterarme de que su recuperación ha sido rápida —al ver la cara de desconcierto de

Mateo y del supervisor—. Quiero decir que esperaba que aún estuviera aquí, en el hospital.

Luis Pons era DUE supervisor, pero prefería llamarse enfermero; no le gustaba la titulación de Diplomado Universitario de Enfermería y solamente la aceptaba cuando era necesario. Tenía por costumbre visitar a los hospitalizados de la Planta de Rehabilitación una vez terminadas las tareas urgentes de primera hora de la mañana y por ello conocía la evolución de sus enfermos. Cuando el hombre habló de Miguel el Cojo, le explicó el gravísimo accidente, detallando el largo proceso de rehabilitación y la cojera, secuela del percance automovilístico.

El hombre del traje azul oscuro apoyó su espalda en uno de los soportes de la cama vacía. Al ver el gesto, Luis Pons le señaló el sillón y le dijo:

—Pero siéntese.

—Si no le importa, prefiero sentarme en la cama. Lo siento, pero es que estos sillones de imitación de cuero de los hospitales me dan grima.

Acompañó el comentario sobre el sillón con un gesto de desagrado.

Luis mostró complicidad con la justificación. Como por decir algo o por matar esos tiempos silenciosos que tanto incomodan a los hombres, hizo un comentario:

—Se han terminado nuestras charlas sobre fotografía.

Mateo tenía ganas de hablar aquella mañana y tomó el relevo:

—Miguel el Cojo sabe mucha informática y fotografía. Me he alegrado de que le dieran el alta.

Permanecieron callados un instante. Luis Pons consideró que era conveniente explicar por qué se le habían terminado las tertulias fotográficas con el Cojo; dirigiéndose al hombre del traje azul:

—A mí también me gusta la fotografía. Soy poco hábil en lo artesanal: la intensidad de la luz, la profundidad de campo y todo eso que gente como el Cojo domina.

Se sentó en el sillón que había rehusado el visitante, que ahora escuchaba con atención.

—Afortunadamente las cámaras automáticas actuales resuelven mis torpezas —Luis se humedeció los labios con la punta de la lengua—, pero me gustaba escuchar los consejos de Miguel.

Era suficiente, para no pasarse. Consultó las anotaciones en su libreta y le anunció a Mateo:

—No vas a poder disfrutar de tu amplitud en la habitación durante mucho tiempo; tengo que ponerte un compañero que ahora está en la UCI; tiene hospitalización para más de cuatro meses. El accidente lo tuvo por *pelarse* un ceda el paso en el acceso a la autopista.

El paciente miró a Luis, haciendo un gesto de beber una copa.

El enfermero le confirmó:

—Sí, dio positivo en el control. Lo mismo que tú.

Mateo le explicó al hombre sentado en la otra cama sus peleas con la Mutua de Seguros, «por dos puñeteras cervezas».

La conversación fue discurriendo con ejemplos que ilustraban fricciones entre las Compañías de Seguros y los asegurados, cuando los conductores daban positivo en el control de alcoholemia. El visitante se manejaba muy bien en esos terrenos, relatando con su voz de bajo anécdotas verdaderamente curiosas, a las que imprimía un tono distante, como respetuoso, mostrando conocimientos técnicos.

Tal vez por esta impresión y porque el ambiente era distendido, Luis Pons se encontró exponiendo un ejemplo personal, que le tenía preocupado. Sacó del bolso de su bata una carta, explicando su contenido: el Seguro le anunciaba que, al cabo de dos meses, su coche perdería la contratación actual.

—Es una modalidad que llaman *Elite* o *VIP.* Tiene una cobertura muy grande; si el coche se incendia o lo roban o lo declarasen «siniestro total» me darían millón y pico de pesetas, pero como dentro de unas semanas cumplirá tres años, tendré que contratar otra póliza distinta porque ya no me aceptan aquel riesgo.

Parecía cansado y a la vez disgustado.

—Y, encima, la prima anual que pagaré será, prácticamente, la misma.

Luis Pons no les desveló que el pago del recibo anual del Seguro era un serio contratiempo para su economía, porque solamente con el salario le resultaba prácticamente imposible equilibrar todos sus gastos. El mes que el Banco le cargaba el recibo anual del Seguro, que superaba las cien mil pesetas, se veía obligado a demorar el pago de la hipoteca mensual de su vivienda.

Tampoco les quiso decir que uno de sus recursos habituales era hacer todas las horas extraordinarias posibles en el Hospital Levantino de Valencia, para conseguir el sobresueldo indispensable. Además de los gastos habituales, personales y de su casa, atendía todos los meses la factura de la Residencia de la «tercera edad» donde estaba su madre.

Mientras su cabeza paseaba por esos purgatorios, guardó la carta resignadamente, como sin fuerzas ni para quejarse.

Sin embargo Mateo dejaba buena constancia de su enfado monumental por las condiciones ventajosas —«en ocasiones, leoninas»— con las que contrataban los Seguros. Las aseguradoras peleaban con el asegurado, desde su posición fuerte, cuando un vehículo tenía un siniestro importante. Como conclusión sostenía que, en esos casos, no quedaba más remedio que cambiar de Compañía. Luis Pons hizo ademán de ausentarse.

El hombre de azul se puso en pie y casi le susurró a Mateo:

—Me voy también.

En la escalera de salida preguntó, sin elevar el tono de voz:

—¿Le apetece un café?

Luis aceptó la invitación.

Salieron a la calle. La mañana era soleada y la temperatura excelente, aunque estaban en invierno.

Aquel hombre vestía bien, parecía ilustrado y hablaba con reposo. Su conversación instruida y el agradable tono de voz incitaban a continuar hablando con él.

Le pidió al camarero que había acudido a atender su mesa:

—Para mí, corto de café.

El enfermero comentó que era la hora del almuerzo:

—Fíjese en los bocadillos que engulle la gente; son de tamaño descomunal y regados con vino o con cerveza. Después de este «tentempié» tienen costumbre de tomar café, coñac o carajillo.

Le interrumpió su acompañante, con el tono bajo que venía empleando, mientras le miraba fijamente:

—Puedo ayudarle a solucionar su caso. Le propongo un... negocio.

Luis Pons, sin disimular su curiosidad, lo animó a continuar con un ademán.

El hombre del traje azul pareció poner cuidado en sus palabras; a pesar del bullicio del local, no subió el volumen de su voz:

—Es muy sencillo: solamente tendrá que dejarme su coche y lo haremos desaparecer. Usted lo denunciará como robado y a los cuarenta días puede cobrar la indemnización del Seguro, que ascenderá a millón y pico de pesetas.

Luis apenas pudo esbozar una mueca, que tenía una parte de desilusión y otra dosis de reprobación. Sin darle tiempo para hacer comentario alguno, el individuo aquel se anticipó a pagar el importe de la consumición y, mirando fijamente al supervisor, se despidió de él:

—Piénselo bien.

Pero a Luis le sonó a «ya verás cómo aceptas porque la idea te seduce».

Luis Pons quedó desconcertado. Con la mirada perdida observó al diligente camarero mientras recogía el dinero y las tazas vacías. Cuando volvió la cabeza, el hombre ya no estaba en el local. Se sintió molesto consigo mismo porque aquel individuo se había permitido bromear o tomarle el pelo, no lo sabía bien. Notó que su enojo iba aumentando, por lo que volvió al hospital y se encaminó a la habitación 162, en la que habían estado hacía un rato.

Mateo mostró sorpresa al verle otra vez. Apartó a un lado la revista que hojeaba y se quedó esperando el motivo de la nueva visita. El supervisor le preguntó directamente:

—¿Sabes quién es el hombre que ha estado con nosotros?

—¿El del traje azul? No.

—¿Tampoco sabes cómo se llama?

Negó lentamente con la cabeza; acompañando con sus gruesas manos un gesto elocuente de ignorancia, Mateo respondió:

—Vino a ver a Miguel el Cojo. Apenas nos habíamos saludado cuando llegaste porque había entrado un momento antes que tú.

—Es que me parece una persona que he visto antes, pero no consigo recordar si ha sido aquí.

Mateo comentó en tono malicioso:

—Había venido por lo menos otra vez, que yo sepa. Hablaron de dinero y de cosas raras.

Luis se sintió intrigado por el comentario de Mateo y le instó a que fuera más explícito.

—No te lo creas mucho —siguió Mateo—, porque creo que me encontraba adormilado, pero me pareció que hablaban de joder a un tío que quería estafarlos. Ya sabes cómo es Miguel. En algunas cosas se nota que es funcionario: cuando quiere que no se entere nadie te cuenta las cosas como sin ganas o te lía con vericuetos, hasta que te aburres y dejas de interesarte. No te puedo dar más detalles, pero hablaron de «soborno» y «estafa» varias veces; de eso estoy bien seguro.

—¿Iban a estafar a alguien?

—No lo sé... Hablaban de un jubilado, un tal Medina; del nombre sí me acuerdo. Oye, Luis, no te irás a hacer de la pasma.

El enfermero se fijó en la cantidad de revistas de mujeres que Mateo tenía en su mesita de noche y le recriminó con ironía:

—Se te va a derretir la médula espinal.

CAPÍTULO 2

El supervisor estaba departiendo con dos de las enfermeras cuando llegó el hombre que unos días antes le había propuesto el extraño negocio, el *Negociante*.

Luis despachaba por las mañanas con las ATS, que le informaban de la situación de cada enfermo y de las novedades diarias.

Cuando el elegante hombre se detuvo en la puerta del despacho del supervisor, Luis Pons estaba estudiando un cambio de turno de noche. Luis sintió un estremecimiento que no pasó inadvertido a las mujeres.

El Negociante, que hoy lucía un traje marrón, parecía tener el rostro de quien ha aprendido a ocultar sus emociones. Levantó levemente la mano derecha y dijo con calma:

—No tengo prisa, terminen ustedes. No se preocupen por mí.

Parecía forzar la situación para que el supervisor diera el primer paso.

Las enfermeras que estaban en el despacho no se fatigaron en disimular que observaban todos los pormenores del atildado individuo. Cuando el supervisor anotó los detalles del cambio, las dos se alejaron con parsimonia.

Luis Pons ofreció una silla al Negociante, exclamando a modo de saludo:

—¡Qué ocurrencia la del otro día!

—Ya veo que no ha olvidado mi proposición.

El enfermero miró hacia la puerta y se levantó a cerrarla.

—Usted no puede decir por ahí eso en serio.

—No lo voy diciendo por ahí y se lo propuse a usted totalmente en serio.

Luis Pons pareció desconcertado.

—Le sugerí que es un trabajo para profesionales y sin ningún riesgo —remachó el Negociante.

Confuso, Luis modificó el tono inicial del diálogo:

—No me conoce y pienso que no debe plantear esas cosas a la ligera.

—Sé lo que hago. Me ha parecido usted una persona idónea para este negocio. Es discreto, no despertará sospechas y el dinero le vendrá muy bien. Yo le garantizo que lo conseguirá cómodamente. El azar le ha tocado en el hombro.

Prosiguió, sin dejar que se tomara un respiro:

—Mire, es muy fácil: me tiene que entregar su coche, con las dos llaves y la documentación. Por la noche, una persona de mi entorno lo hará desaparecer: le quitarán las matrículas y los signos de identificación más visibles y después lo mandaremos lejos de aquí, a un país del Este. El trabajo lo hacen personas distintas cada vez, por lo que resulta imposible descubrir ninguna red ni organización. A usted le han robado su coche, que no será

16

encontrado nunca. Está todo perfectamente estudiado. En tres años no hemos levantado recelos. No existimos. Créame.

Con paciencia, el Negociante continuó disipando las dudas, cada vez más concretas, de su interlocutor:

—¿Quién me garantiza que el coche será vendido a esas mafias internacionales de las que tanto se viene hablando últimamente?

—Bueno, por eso no tema: el coche no va a ser encontrado jamás. Ni entero ni por piezas. La policía no busca; la policía encuentra. Haremos desaparecer el vehículo, como si en verdad lo hubiesen robado. Está negociando con personas que sabemos lo que hacemos.

Se detuvo un instante. Remachó:

—Cada año se roban en España doscientos mil turismos; de ellos no se recuperan ni ochenta mil. Es decir, esto supone una desaparición de más de quinientos cincuenta turismos diarios, de los que doscientos veinte no se recuperan… y el suyo será uno de esos doscientos veinte coches que no se recuperarán.

Esto último lo acompañó con un ambiguo manoteo, como de cansancio. Parecía estar seguro de que ya no se le pondrían objeciones serias. Sentenció:

—Usted se quedará sin coche, eso tiene que tenerlo muy claro. No olvide que para el Seguro es lo fundamental. Aunque quiera, no podrá volverse atrás porque le será imposible contactar conmigo o con el encargado del taller, que seremos los únicos que lo habremos visto. Yo desapareceré tan pronto como usted entregue las llaves. En la cuenta bancaria que usted me indique le ingresaré quinientas mil pesetas, que es el cincuenta por ciento del importe neto que nos pagarán por su coche los del Este. Se lo notificaré a los siete días de que haya cobrado el dinero del Seguro.

El Negociante tenía algo que actuaba como un tremendo estímulo sobre Luis. El tipo apuntilló sin apenas mover los labios:

—Yo le llamaré a los siete días: ni uno más ni uno menos.

Ponía un especial énfasis cada vez que machacaba «usted», para que Luis Pons se sintiera protagonista, remarcando su papel, envolviéndole con su indudable persuasión. Precisamente su última frase —«siete días, ni uno más ni uno menos»— actuó en Luis Pons como un argumento concluyente. Poco después ya estaba exponiendo al Negociante las características del vehículo, tratando de concretarle con precisión cuándo sería su primer turno de noche y el lugar donde aparcaría.

Se había decidido. Necesitaba rápidamente ese dinero.

Y sin el coche se podría apañar perfectamente.

CAPÍTULO 3

En Valencia —dice una canción de Raimon— *no sabe llover.*

La mañana había sido nublada y tristona. Esos días producen un cabreo especial en la gente; los comentarios más frecuentes se refieren al «asco de clima», aunque durante el año los días nublados sean escasísimos.

A mediodía se puso a llover en tromba, como si se fuera a romper el cielo.

A las tres de la tarde el supervisor fue al hospital para hacer el turno de noche. Seguía diluviando cuando metió su coche en el garaje.

Mientras lo cerraba, en el sótano del aparcamiento, un individuo muy alto se le acercó.

—Soy el encargado del taller. Me han mandado a coger su coche.

Era un tipo con gafas gruesas y de labios africanos, que parecía tener que gesticular para hacerse entender. Preguntó, acompañando con una contorsión de su cabeza:

—¿Salimos al bar?

Luis se quedó mirándole. «Qué piernas más largas tiene, parece una cigüeña».

Intentó concentrarse en lo que tenía que hacer, conteniendo la excitación que le producía la puesta en marcha de aquella historia que a todas luces encontraba temeraria.

Abrió el coche y extrajo del maletero una cartera que tenía preparada con la documentación original, el talonario de revisiones del vehículo y todo lo referente al Seguro; como al día siguiente tendría que ir a denunciar el robo prefería tener las Pólizas y algunos documentos en su poder. De la guantera sacó el sobre con las fotocopias que había hecho.

El *Cigüeño* esperó distante hasta que Luis terminó y cerró el coche. Sin decir palabra alguna echó a andar. Se recogió el inmenso impermeable para subir por la oxidada escalera de hierro del garaje y después continuó por la parte de la acera más próxima a las casas, tratando de guarecerse del chaparrón y de la ventolera que se había levantado.

Tenía una forma peculiar de caminar, como volcado hacia adelante.

Ya en el bar «La Cañada» le apuntó al barman:

—Un tercio.

Luis Pons también pidió cerveza.

—Me llamo Fernando, aunque mi familia y los amigos me llaman *Fernandín.*

—Vaya palo. Por la estatura.

—No, qué va. Es que mi padre también se llama Fernando; cuando era pequeño empezaron a usar el diminutivo conmigo y no veas.

Hablaba como si estuviera aprendiendo a hablar.

—¿Cuánto mides? —preguntó Luis, por decir algo.

—Dos metros cero dos. Ahora hay mucho tío alto, más que yo, pero en los años ochenta destacaba mucho. En la mili fui *gastador*, ya sabes, los que más fardaban en los desfiles. Siempre escoltábamos al General.

Luis trató de averiguar algo de aquel tío plasta:

—¿De verdad eres jefe de taller?

Miró hacia un lado por encima de sus feas gafas y, pasando de la pregunta, siguió con su tono neutro:

—Mi padre decía, siempre que la cosa venía a cuento, «Fernandín tiene un defecto». Dejaba un poco así, como para intrigar, y después lo soltaba: «anda de puntillas».

«Ya me había dado cuenta», pensó decirle Luis, pero se contuvo.

Fernandín soltó una risotada. Era un poco baboso y salpicó a su alrededor cuando se estremeció de risa, como si todavía le encontrase gracia a la anécdota que acababa de contar.

Tratando de ser discreto, Luis le dio la carterita con las llaves y las fotocopias de la documentación. El Cigüeño hizo una comprobación que quería aparentar cierto oficio. Mientras, Luis le explicaba —para no estar callado con aquel tipo— que siempre llevaba fotocopias en el coche para evitar la pérdida o sustracción de los originales. Fernandín miró a Luis con ojos que no veían.

No parecía un jefe de taller. Parecía lo que seguramente era.

El Cigüeño se dejó invitar. Como despedida, el tipo largo le tendió una mano sudorosa y lacia que a Luis le produjo cierto asco. Una joya de individuo.

El enfermero supervisor trató de tomárselo con calma. La situación le incitaba a razonar que, si el personal del Negociante tenía aquel nivel, era para echarse a temblar.

El Cigüeño no regresó hacia donde habían dejado el coche. Luis Pons había supuesto que el tipo iría a por el vehículo al salir del bar —no sabía bien por qué—, pero el Cigüeño no se dirigió al garaje.

Este comportamiento le hizo preguntarse cómo se las ingeniaría aquel fulano para sacar el coche del aparcamiento sin la ficha de entrada, que Luis conservaba en su poder. Dedujo que, en otro momento, Fernandín volvería al estacionamiento, transportaría el coche —a saber con qué truco— y la operación se pondría en marcha.

Durante unos instantes estuvo pensando en el procedimiento que emplearía aquel hombre extraño para retirar su coche. Supuso que pagaría la cuota máxima por extravío del ticket.

En la calle seguía diluviando.

CAPÍTULO 4

La Comisaría de Policía de Gran Vía conservaba su pestilente olor a tabaco viejo.

Rememoraba Luis Pons que, siendo todavía un niño, había acudido a esa misma comisaría para efectuar una denuncia porque a su padre le robaron el radiocasete del coche y le pidió que fuera con él a la Policía, para ir aprendiendo esas cosas. Un agente los acompañó al Juzgado de Guardia porque el valor de lo robado superaba una cantidad estipulada; les explicó que era de *menor cuantía* o uno de esos tecnicismos de abogados.

No había olvidado la extraña sensación que sintió al ir acompañado de un policía.

En la actualidad, el recinto de la Comisaría parecía menos sórdido. Había ordenadores y mujeres de uniforme, que se invitaban a fumar unas a otras y enseñaban a manejar el ordenador de pantalla táctil a los ciudadanos que no estaban habituados.

La versión de los hechos que Luis Pons relató en Comisaría fue, sustancialmente, algo así: había entrado a trabajar la tarde anterior, después de aparcar en el hospital. Habitualmente iba en el metro, pero cuando llovía se llevaba el coche para poder volver rápidamente a su casa. Aquella mañana, a las nueve, había ido al garaje con la ficha de aparcamiento y el coche no estaba. Todos sus intentos de localización habían resultado inútiles.

Le entregaron a Luis rutinariamente el boletín de su denuncia. Pero, a diferencia de la actitud desganada de los policías, a Pons el asunto sí le producía un creciente desasosiego.

No quería hacer cábalas sobre si la gente del Negociante habría acabado escrupulosamente el trabajo ni si sus hombres pondrían en circulación el coche.

Se sentía incómodo y prefería no cavilar sobre lo que tanto le angustiaba. Su intención de aceptar el paso dado iría ganando firmeza; debería seguir la estrategia decidida, confiando en que ningún imprevisto hiciese descarrilar sus propósitos.

Para superar la incertidumbre de las noches y centrarse en el objetivo de aquella aventura, tenía que pensar firmemente que el dinero le permitiría salir de su agobio económico.

Llamó al Seguro y les informó de la desaparición del vehículo, prometiendo ir a la salida del trabajo y llevarles la denuncia. Efectivamente, a primera hora de la tarde fue a la oficina, mostró los documentos con el parte del robo y los empleados le indicaron que se pondrían en contacto con él a los cuarenta días.

En el supuesto de que la Policía localizara el automóvil, se tasarían los daños que pudiera tener el coche, para que Luis optara entre percibir la indemnización —millón y pico de pesetas— o el coche perfectamente reparado.

Luis Pons tuvo que sortear los ofrecimientos de sus compañeros del hospital para hacer *rondas* de localización del coche por lugares más o menos habituales. Anunció la desaparición del vehículo en algún periódico de inserción gratuita y siguió minuciosamente todas las instrucciones que le había dado el Negociante.

Habían transcurrido cuarenta y un días cuando Luis compareció en el Seguro a formalizar la liquidación. En la oficina le indicaron los trámites que debería seguir: solicitar en el Ayuntamiento un certificado de estar al corriente de pago de impuestos municipales; rellenar en Tráfico una declaración de que ignoraba el paradero del automóvil y realizar una lista de gestiones.

Luis Pons se sorprendió ante las dos enormes colas de la Jefatura Provincial de Tráfico. Una, desbordaba la acera y se alargaba por toda la manzana de edificios. La segunda era algo más pequeña, por lo que no salía a la calle. Dos letreros (*Personas–Vehículos*), colocados sobre las ventanillas que causaban las aglomeraciones, confundían a los desconcertados ciudadanos.

Después de dos mañanas de plena dedicación a esos menesteres, Luis consiguió completar la lista de requisitos y encaminarse a la Oficina Principal del seguro, en la Plaza de España. Se encontró rodeado de moqueta azul azafata y música de cuarteto de cuerda. Vinieron a su memoria las agraviadas diatribas de Mateo contra los Seguros y su llamativo poderío.

Una mujer joven, tan atractiva como para figurar en los anuncios de los murales, con la sonrisa en los ojos y en los labios, le pidió el DNI y solicitó su firma en varios documentos. Le tranquilizó advirtiéndole de que todo estaría resuelto muy rápidamente. En efecto, después de unas cortas gestiones, volvió a la mesa donde Luis había estado sentado y le preguntó:

—Señor Pons, ¿le queda muy lejos su Banco?

Creyó que *Miss Seguro* era el colmo de la amabilidad. Respondió que la Sucursal no estaba lejos, «junto a la Estación».

—Verá, Don Luis, tiene usted que solicitar a su banco un documento que le reconozca la firma y traernos la acreditación del banco. Entonces le entregaremos el cheque nominal.

Luis se indignó. Le desquiciaba la inalterable sonrisa de la muchacha y dio rienda suelta a su desconcierto:

—Esto no tiene sentido. Usted sabe que yo soy Luis Pons, me ha visto firmar varias veces y ha podido cotejar esas firmas con la de mi DNI; ahora me pide que vaya al banco para que un empleado... —se detuvo para recalcar lo que iba a decirle a continuación—... que no me conocerá de nada, acredite que mi firma es ésta.

La secretaria no descompuso el gesto. No le habían explicado por qué el banco exigía el reconocimiento de firma. Como supo más tarde, se trataba de un impreso de transmisión de dominio y —en el previsible supuesto de que el Seguro vendiera el vehículo a una tercera persona— contarían, de antemano, con la autorización de Luis Pons para el trámite del cambio de nombre.

Una vez realizada la gestión bancaria, regresó a la impresionante oficina del Seguro. Otra vez vino a recibirle la joven de las sonrisas. Recogió el papel que le daba y entregó el cheque a Luis sin alterar el gesto.

Se había levantado un fuerte viento, que siempre le resultaba desagradable, por lo que subió a un taxi. Se acordó del refrán «cuando hace viento, hace mal tiempo» y reconoció que a él siempre le parecía un dicho certero.

Mientras el taxi le llevaba por fin al hospital recreaba en su mente todo el proceso seguido para conseguir el dinero. Había resultado fácil, hasta con una burocracia enrevesada.

Sólo faltaban siete días para que el asunto estuviera definitivamente zanjado.

CAPÍTULO 5

A medida que transcurría la mañana Luis iba notando un creciente desasosiego. Tenía activado su móvil, pero no recibió el esperado aviso de que el Negociante le había ingresado las quinientas mil pesetas pactadas.

Incapaz de concentrarse en el trabajo, se fue poniendo nervioso con las habituales risas y chanzas de las enfermeras que esa mañana le estaban sacando de quicio.

Luis Pons sabía que si se juntan más de tres mujeres pueden mostrar una complicidad no habitual entre los hombres, reírse (lo que siempre escama) de sí mismas, del trabajo y de lo que sea. En aquellas circunstancias, la situación le resultaba más molesta y llamó la atención a una enfermera que llevaba la voz cantante.

La mujer de cabellos brillantes de color castaño se volvió hacia las compañeras:

—Siempre os he dicho que es un chico muy fino; ya veis: dice que le fastidia mi «frivolidad»…

—Sí, coño, no mantenéis la seriedad —aseguró el hombre, moviendo la cabeza.

—Oye, olvídanos.

Luis procuró tranquilizarse repasando las ocupaciones que había tenido. Aquella mañana el trabajo era rutinario y, por consiguiente, el silencio del Negociante no podía achacarse a la ocupación laboral de Luis: no había recibido apenas llamadas telefónicas ni había tenido ninguna reunión, así que no encontraba explicación razonable a aquel mutismo.

Recordó todos los detalles de la advertencia del Negociante y aquello de «a los siete días; ni uno más ni uno menos».

No dejaba de especular sobre el silencio de aquel hombre. Desechó que fuera debido al descuido o al olvido. El Negociante parecía ser meticuloso y contar con buena retentiva. El motivo tenía que achacarse a razones ajenas.

Aunque trató de contener su agitación, al final de la mañana era casi presa del pánico. Consultó su saldo por la banca electrónica y no figuraba ingreso alguno.

Llamó a Correos con la intención de hablar con Miguel el Cojo y preguntarle qué sabía del Negociante. Necesitaba conocer su opinión sobre aquel barullo. No fue posible porque le dijeron que Miguel estaba con gripe.

Por la tarde, quiso estar solo en su casa y esperar noticias. Era incapaz de hacer nada de provecho ni de distraerse ordenando papeles o leyendo algún libro. Solamente la música le permitía algún descanso. La noche llegó con Tom Waits y aquel clarinete bajo, que otras veces le llenaba de nostalgia.

Como en una pesadilla, se temió lo peor. Trató de hallar una salida a su particular laberinto, pero en la consternación en que estaba sumido, el temblor se fue apoderando de él.

Se sentía muy mal.

Cenó cualquier cosa, mientras veía una película en la que Jack Lemon y Walter Matthau hacen de pareja extraña, en la que ambos daban bastante pena.

Luis Pons se quedó dormido en el sillón. Su ciclo de sueño era raro, como el de la mayoría de las personas que hacen excesivos turnos hospitalarios.

Tuvo una pesadilla. En el sueño, raptaron a un hijo de Matthau, pero todo se arregló implicando al primer individuo que pasaba por allí. Al cabo de unos días regresó el hijo de Mathau y tuvieron que cambiar los números de la cuenta del Banco «para que todo quedase resuelto».

Después del miedo del día anterior, empezó a notar una ligera sensación de alivio. No le daría vueltas a sus cavilaciones. Sabía, o creía saber, la base argumental.

En cuanto a su «delito», todo el mundo intentaba engañar a los Seguros alguna vez; en esta ocasión él, cínicamente, lo había hecho con la mayor audacia y casi en un estado de necesidad.

Otro aspecto de la cuestión se refería a sus divagaciones sobre el Negociante. Solamente durante algunos días continuó sintiendo un oculto desasosiego por su silencio; le resultaba difícil entender la manera de actuar de aquel tipo tan esquinado.

Cuando aceptó el trato, Luis estaba convencido de que el Negociante iba a proceder al pie de la letra, como se lo había prometido. Recordaba que hacía casi cuatro años se obsesionó con comprarse un coche que le facilitaría ir al pueblo, a ver a los suyos. Ahora, que su madre estaba en una residencia, apenas se relacionaba con la familia y sólo en raras ocasiones iba a trabajar con el vehículo, que se había convertido en una fuente de gastos.

El hermetismo de aquel hombre y el hecho de no haber cobrado el medio millón pactado llenaban a Luis de incertidumbre. Alternativamente iba tratando de justificar esa conducta achacando el silencio del Negociante a la pérdida de su número de cuenta o a algún viaje imprevisto. También cabía la hipótesis de que el extraño personaje quisiera birlarle las quinientas mil pesetas, pero la intuición de Luis desechaba que el Negociante fuera un timador de tres al cuarto.

«La razón del silencio será sencilla, como pasa a veces con las cosas que nos abruman», pensó.

«La policía puede haber empapelado al Negociante», posibilidad que desechó porque no se lo imaginaba en manos de la policía.

Lo creía demasiado listo.

Se tomó un *tranxilium 15* y se metió en la cama.

CAPÍTULO 6

Algunos días después Luis Pons tuvo que acudir al Juzgado. Una empresa de artículos ortopédicos había sido denunciada por recibir trato favorable. El enfermero sabía perfectamente que era una práctica conocida y que algún médico percibía buenos sobresueldos y viajes, como pago por ese trato preferente.

El abogado que llevaba el caso fue a buscar a Luis Pons al hospital y le puso, superficialmente, en antecedentes de lo que podrían preguntarle. Luis tenía información más rigurosa.

El edificio de los Juzgados era una construcción de diez pisos sobre un solar minúsculo. Los cuatro ascensores tenían gran demanda de usuarios y el personal se apiñaba con resignación.

Mientras esperaban, Luis Pons observaba la cantidad de mensajes y avisos que figuraban en todas las paredes de los Juzgados. Eran espacios pequeños. Sobre cada mesa estaba un ordenador, un montón de carpetas, archivadores y un sinfín de papeles apilados de mala manera.

En medio del barullo, se tomaba declaración.

Luis observaba que, periódicamente, se interrumpían los interrogatorios para dejar paso a abogados y clientes cuando los requería alguna mecanógrafa a la que no se podía acceder por falta de espacio.

El abogado tomó del brazo a Luis y lo condujo hacia una puerta de cristales en la que estaba pegado un cartelito con el aviso «Horario de atención a profesionales de 9 a 11».

En el interior, sobre las mesas, existía una montaña de legajos aún más grande que en las otras que Luis Pons había visto antes.

«Tiene que ser agobiante trabajar aquí. Es mucho más deprimente el estado de la Justicia que el de la Sanidad. ¡Dios santo!», se dijo.

Al abogado no parecían extrañarle ni la apretada distribución ni la confusión que reinaba en los despachos por los que pasaron. Le susurraba a Luis que el oficial le preguntaría por aquellos trasvases de material ortopédico que, según la denuncia, iban invariablemente a la empresa acusada.

«En fin, voy a seguirle la corriente, con lo que el asunto tampoco avanzará esta vez».

De pronto, el corazón de Luis Pons se aceleró y notó que sus manos le empezaban a sudar. Allí estaba el Negociante, manejando con soltura el teclado. Le había solicitado al abogado documentos, con tono rutinario, desde el otro lado de la mesa.

Luis se dio cuenta de que el Negociante lo había reconocido. El trastornado supervisor mostró una serenidad que estaba lejos de tener.

No daba crédito a lo que veían sus ojos: el Negociante era quien le pedía que se identificase y copiaba los datos en el ordenador. Poco después le hizo algunas preguntas, sobre cosas que el abogado ya le había comentado, como en una representación bien ensayada.

Cuando acabó, el Negociante se lo hizo saber con un gesto. No llevaba puesta la americana y tenía recogidos en el antebrazo los puños de la camisa. Con el codo sobre la mesa y la mandíbula sobre la mano izquierda esperó, sin mostrar emoción alguna, llevando su mirada desde el monitor a la cara del abogado y a la de Luis. Parecía concentrado en una mesa situada detrás de Luis Pons y el abogado. Se levantó y tomó de la impresora unas hojas que parecían ser la causa de su interés.

Les informó de que ya había terminado la declaración y pidió las firmas de los dos.

Luis Pons caminó tras el abogado como un autómata, por pasillos que le parecían distintos a los de la llegada. Qué hacía allí el tipo aquel, actuando con una seguridad desafiante como Secretario de Juzgado, sin saludarle ni mostrar un mínimo gesto de sorpresa.

Tampoco manifestó deseos de hablar con Luis, de explicarle algo en un aparte.

Una vez en la calle, el abogado se despidió porque tenía que volver a otra vista en la Audiencia. Se separaron.

Luis Pons quedó en medio de los peatones que trataban de abrirse paso. Entró en un bar cercano y quiso acercarse a la barra, pero había demasiada gente. Preguntó por los aseos al camarero; cuando vio en el espejo su cara lívida, exhaló el aire de sus pulmones tratando de serenarse.

Salió al paseo central bajo las centenarias magnolias. Cerca de allí, en la calle de la Paz, estaban algunos de los mejores edificios del modernismo valenciano, que tanto le gustaba fotografiar. Desde la Glorieta se divisaba la horrorosa construcción de los Juzgados. Los edificios de principios de siglo marcaban elocuentemente el buen gusto de otra época frente al espantoso edificio de Justicia.

Luis se reprochó que, a pesar de estar tan fastidiado, se le ocurrieran esas reflexiones.

Se notaba ofuscado y no sabía qué hacer. Sentía deseos de volver al recinto donde el Negociante trabajaba y pedirle una explicación. Tenía que haber una razón para el silencio de aquel tipo, que no estaba fuera de la ciudad, ni en manos de la policía, ni se había olvidado de Luis.

El hermético sujeto parecía tomarse la situación como un juego.

CAPÍTULO 7

Adela Portolés estaba esperando con impaciencia delante de la Policlínica de Rehabilitación. Cuando Luis la vio casualmente, se interesó por el motivo de su visita. Adela le contó que había venido con un pariente.

—Está en otra sala de espera porque aquí hay poco sitio. Tiene mal un pie desde hace más de un año. Está un poco desesperado.

—Los pies son complicados. Voy a hablar con Hamlet —se sonrió ante la cara de sorpresa de Adela—. Es un médico sudamericano que se llama Hamlet Cardoso. Sabe «casi todo» de los pies y creo que es el mejor. Dame la cartilla sanitaria y espérame; en cuanto pueda, os avisará.

Resolvió el asunto como le había indicado a Adela y se volvió al trabajo habitual con la memoria de su compungida cara.

Durante un buen rato se sintió cautivado, recordando sus bonitos ojos verdes.

Media hora después, María Jesús, la enfermera más veterana, pasó aviso a Luis Pons de que una joven quería hablar con él. Era Adela; ahora estaba sonriente y despreocupada.

—Tenías razón. Se ha ido enseguida a la farmacia a por un antiinflamatorio y algo para la insuficiencia venosa. Estoy tan contenta que me gustaría invitarte a comer.

A Luis Pons le pareció estupenda aquella oportunidad de charlar y compartir mesa con Adela. En ocasiones anteriores habían coincidido en bares de copas, estando con amigos comunes, pero nunca habían podido hablar a solas. Pensar en el encuentro le hizo sentir un acaloramiento que ella no percibió por el entusiasmo que la embargaba.

Escogió «Al Pomodoro», un restaurante italiano de la calle del Mar.

Durante la comida, Adela consiguió alejar de Luis todas las cavilaciones. El enfermero le contaba bromas y anécdotas del hospital, disfrutando mucho con las sonoras carcajadas de ella.

Quiso saber más de él, de su chica.

—No hay chica.

—Embustero.

Hizo un mohín, mientras seguía tocándole el brazo, como había estado haciendo durante toda la comida. «Soy muy *tocona*», le había dicho. Tenía unas manos bonitas y cuidadas. Era una chica extrovertida y sensual. Estuvieron callados un momento, mirándose con arrobo. Luis se puso tierno:

—Ha estado muy bien. Mucho.

Adela, sin dejar de sonreír, asintió con un leve pestañeo. Luis quiso dejar claro que no tenía compromiso con alguna novia o compañera:

—De verdad no hay ninguna chica. O no la había hasta hace poco.

Bajó la mirada, hacia su plato de postre. Sentía que se ponía cursi, pero continuó hablándole en el mismo tono:

—Tenemos que seguir viéndonos. Estoy pensando que... —para esconder sus sentimientos recurrió a la broma— hasta que tu pariente no se cure del todo es mi obligación hacerle un seguimiento a través tuyo. Quiero decir que será necesario que me informes ¡constante y directamente!

—Cómo te gusta enredar. Vale, te daré mi teléfono para que puedas preguntarme por él.

Hizo otra vez aquel mohín de complicidad con la broma.

Se levantaron de la mesa y caminaron muy juntos.

Por la calle del Mar llegaron a la de San Vicente. Ella se despidió tendiéndole la mano.

«Qué curioso —reflexionó Luis—. Otras veces nos damos esos *besos*, que en realidad no debieran llamarse así: apenas si se juntan las caras».

Unos pasos más tarde Adela se volvió y le hizo un gesto de adiós.

Luis Pons dio media vuelta.

Notó que —de verdad— gozaban de un tiempo espléndido, una primavera anticipada.

CAPÍTULO 8

Luis estaba comprobando existencias en el ordenador. Había dejado la puerta entreabierta, como tenía por costumbre.

Un enérgico golpe con los nudillos le sobresaltó. Sin dilación alguna, el aporreante entró:

—Hola, ilustre, ¿tienes cinco minutos? —Recalcando las palabras—: Me gustaría comentarte un asunto.

El doctor Jaime Piquer era un intensivista, que se jactaba de ser «gente de situaciones agudas». Seguramente al médico este calificativo le parecía más sugestivo que el de «cuidados intensivos». Luis Pons sólo se había relacionado ocasionalmente con él, pero Piquer era una persona muy popular por algunas de sus peculiaridades: muchos de los que trabajaban en el hospital sabían, por ejemplo, que este médico tenía un pequeño barco al que llamaba con pedantería *El yot*.

Jaime Piquer apuntó que hoy prefería pasear.

—Si no te sabe mal, caminaremos por el jardín del hospital.

Como una breve introducción sobre el envidiable clima mediterráneo, Luis Pons hizo un comentario sobre la proliferación de flores amarillas:

—Son las primeras que salen. En el campo, por estas fechas de febrero, todas las plantas de temporada con flor tienen color amarillo.

Luis observó que el tema floral no le interesaba al médico y cambió de conversación; sacó a relucir el típico tema del yate. Dijo medio distraídamente:

—Un buen día para navegar.

—Ya lo creo. Cualquier día es bueno para navegar.

Luis asintió en silencio; la iniciativa le correspondía al doctor Piquer. El médico siguió:

—Cada uno tiene sus manías. Por lo que sé, tu capricho es la fotografía.

No le apetecía nada hablar de ello con el médico. Decidió esperar a que le expusiera la razón por la que había salido a pasear con él.

—Un «conocido nuestro» me ha comentado el caso de una persona mayor, perteneciente a la buena sociedad valenciana. Tiene metástasis en la pelvis y se ha roto la cadera.

Siguió relatándole que algunos familiares dudaban si valía la pena operarle o pedían otro tratamiento, inmovilizándolo en una silla. El anciano no quería quimioterapia ni más sufrimientos y suplicaba que se le practicase una muerte sin dolor. La familia, finalmente, había accedido a sus deseos, actuando con la discreción que correspondía a su estatus social.

—Tenían muchas dudas —avisó Piquer— hasta hace unos días, pero con la fractura de cadera se han decidido por la eutanasia.

Calló unos instantes. Volvió a decir que no había «clima como el nuestro».

Se detuvo y miró a los ojos de Luis:

—Esperamos tu colaboración. ¿Correcto?

Su colaboración. Esperamos. Jaime Piquer y Luis tenían escasa relación; apenas se veían cuando el doctor aprovechaba descaradamente el gimnasio de rehabilitación, en el hospital, para hacer pesas en horas de trabajo. Ahora, el médico requería su contribución para quitar de en medio al viejo.

—Doctor Piquer, ¿sabe qué me está diciendo?

—No va a suponer ningún problema para ti. El viejo está delicadísimo y lo internarán para prepararlo para la operación de cadera.

La creciente irritación de Luis se manifestó sarcásticamente:

—¡No pensará usted que en el pabellón le ayudaremos a «pescar» algo que se lo lleve pronto de este mundo!

—Le van a atiborrar con goteros. Todo se hará sin riesgos; será lo mejor para mis amigos, para la sociedad y... para el anciano.

—Aire, aguja intradérmica, embolia...

—No. Algo menos escandaloso que la burbuja de aire: una inyección de cloruro potásico en vena. Los forenses ni se enterarán. ¿*Okey*?

A Luis Pons no le gustaba la situación. Presentía que habría personas, con poder y dinero, implicadas. Y sin embargo Piquer estaba diciendo que era el supervisor quien tenía que poner en práctica una parte importante del plan. No iba a aceptar porque conllevaba demasiado riesgo y podía ser descubierto. El enfermero estaba desconcertado y decidió rebelarse, sin buscar demasiados argumentos: el proyecto del doctor Piquer le parecía una barbaridad.

El médico quería orillar todos los recelos de Luis:

—Se le da cloruro potásico y suero glucosado. No deja rastro porque se diluye por todo el cuerpo y no lo podrá detectar el forense.

Piquer levantó su moreno rostro al cielo:

—Ya sabes, está en el cuerpo humano. Eso sí, hay que evitar que se vea el pinchazo. Si se lo ponemos todo en el gotero no habrá problema.

Le informó a Luis sobre la probable medicación que le aplicarían cuando el anciano fuera ingresado.

—Te vas a encargar de ponerle un gotero sedante, aunque no se lo receten, todas las noches. Cuando llegue la ocasión, ya te avisaré de cómo tienes que actuar.

El médico continuó explicando que si se pretendiera reanimar al anciano con un masaje cardíaco, ese mismo masaje haría subir el potasio, por el efecto «magullador» sobre los músculos. No hacía falta enmascarar nada porque la estrategia era perfecta.

En tono cortante, apuntó:

—Tienes que hacerte a la idea de que en este encargo debes colaborar sin remilgos de ninguna clase. La gente de sanidad estamos acostumbrados a los enfermos terminales.

Había contundencia en su voz al poner énfasis en las últimas palabras. Entre los dos se mantuvo un momento de tensión que rompió Luis:

—Necesito tiempo para pensarlo.

Le dijo que lo tendría.

Después de un largo silencio, Piquer le soltó, como una amenaza:

—Si te resistes a colaborar, te diré que no puedes negarte.

Luis Pons encajó aquella rebuscada advertencia del médico como un puñetazo en el estómago. Piquer se dio cuenta de que la presión había hecho mella en su interlocutor y ya no insistió más.

Fingiendo estar harto de la conversación, el médico sugirió:

—Disfrutemos del magnífico día.

CAPÍTULO 9

El timbre del teléfono sonó por segunda vez.

—Creo que se acordará de mí. Hace algún tiempo le propuse un negocio.

El Negociante.

Luis habló:

—Me sorprendí hace unos días, cuando le vi en los Juzgados.

—¿Qué le extraña? Trabajo allí.

—No me telefoneó usted, como quedamos; tenía que ingresarme dinero en mi cuenta corriente.

—Ayer mismo le ingresaron quinientas mil pesetas...

Silencio. Luis no quiso que le aclarara esa noticia y decidió que le convenía esperar. Por el auricular, oyó la voz persuasiva del Negociante:

—No debe poner trabas en «lo» del viejo canceroso.

—*Lo del viejo* no es ninguna broma. Me gustaría hablar de ello personalmente, porque por teléfono...

—¡Hombre de Dios! Para eso se ha inventado. Creo que se deja influenciar demasiado por las películas. ¿Quién va a ponerle escuchas telefónicas a un ciudadano como usted? —como si de pronto cayese en la cuenta desde qué teléfono llamaba—. Otra cosa es tener precaución y llamar desde teléfonos públicos o evitar dar nombres.

—Quiero que hablemos de todo: de la desaparición del coche, de su silencio.

—Vayamos por partes, Luis. Su coche está en buenas manos. No debe preocuparse; si aparece, será propiedad del Seguro. Tiene que reconocer que le ayudé a ganar un dinero fácil. Parece justo que usted corresponda con otro favor.

—¿Que corresponda a quién? —preguntó Luis, arrastrando las palabras.

—A mí. A los amigos que han acudido a mí para salir de ese apuro que usted ya sabe. La cuestión es mucho más simple de lo que pueda parecer. Se lo aseguro: es sencillísima.

La turbación del enfermero aumentaba por momentos. Aquel individuo todo lo veía fácil. Las complicaciones eran para los demás. Otra vez los desvelos iban a tocarle a Luis. Lo veía venir, pero no se lo expresó al Negociante; le interesaba que aquel hombre le aclarase algunos aspectos, que no acababa de entender, de la desaparición del coche.

El secretario de Juzgado se mantuvo en silencio, por lo que Luis prosiguió:

—Le confieso que para mis adentros le llamo *el Negociante*. No sé cuál puede ser su «negocio».

Durante un momento no tuvo respuesta; luego empezó con voz baja:

—No le ingresé el dinero acordado por el *trabajo* porque no quiero conectar con la gente del Este. La verdad es que se trataba de un amigo mío que necesitaba un coche y no tenía apenas dinero para adquirirlo. Cuando me encontré con usted, se me ocurrió que su coche le vendría de perillas a mi amigo. Entonces combiné las cosas para que el seguro le abonara a usted millón y pico y mi amigo le diera medio millón más. No tendrá queja.

Luis trató de serenarse. El Negociante aseguró:

—Desde el primer momento le dije que era muy simple.

—¿Dónde está ahora el coche?

—Rodando. Con otra matrícula, que corresponde a un coche de la misma marca y del mismo color que el suyo.

—A ese otro coche le habrán robado la documentación —le apuntó Luis, confuso.

Las aclaraciones que el Negociante le hacía, desvelaban el juego que aquel sujeto había empleado. El Negociante continuó:

—Después de nuestro acuerdo le expliqué a mi amigo de qué coche se trataba y el color, para que «encargase a unos profesionales» que abrieran otro coche de esas características, que alborotasen un poco dentro de él y robaran la documentación original. Y el coche de usted ya podría rodar nuevamente.

—Bueno, pero si el dueño de la documentación robada pide un duplicado de los papeles habría dos coches en la calle con la misma documentación.

—Podría ser. Pero en la práctica no supone ningún problema; salvo un accidente o que la Guardia Civil hiciera un control del bastidor.

—A su amigo mi coche le ha salido muy barato: quinientas mil pesetas.

—Esa cantidad —dijo el Negociante, con un amago de sonrisa— es la que a usted le corresponde del dinero que ha pagado mi amigo.

Tuvo que oír el resoplido de Luis Pons, porque añadió rápidamente:

—Ya se ha enterado del misterio. Tranquilo. Me podrá reprochar que no cumplí al pie de la letra lo que le prometí, pero para usted todo ha salido perfecto

El enfermero no estaba dispuesto a cometer fallo alguno con aquel hombre. Se mantuvo callado. El Negociante contraatacó con sutileza:

—Usted tampoco siguió mis instrucciones sin salirse de ellas —se puso más serio—. Tengo que recordarle un detalle que usted no cumplió.

Luis estaba seguro de que aquel individuo notaba su agitación. Con habilidad, había dejado una pausa valorativa. Su voz se convirtió casi en un susurro:

—Se quedó con una de las llaves del coche.

El supervisor recibió con sorpresa el acertado reproche. En los primeros días, le asustaba la posibilidad de tener que presentarse ante la Policía o el Seguro sin alguna llave del coche. Fue entonces cuando decidió quedarse con una de las llaves originales y entregar al Cigüeño una copia para disipar sospechas.

Cuando a uno le roban el coche no le quitan los dos juegos de llaves ¿cómo lo habría adivinado aquel sujeto?

—Y cometió la ingenuidad de entregar junto a la llave original una copia de las que hacen en la ferretería de la esquina —siguió diciendo el extraño sujeto—. Si se hubiera quedado usted la copia, nunca me habría dado cuenta.

Parecía que leyese sus pensamientos.

De nuevo iba a desconcertarle:

—Su precaución me gustó, créame.

47

Después, no quiso terminar con su voz impostada y persuasiva de locutor maduro. Empleó su tono más imperativo:

—No puede usted negarse.

Colgó.

CAPÍTULO 10

Luis Pons iba sorteando la muchedumbre que a las diez de la mañana abarrotaba la zona de delante de la Policlínica de Traumatología y Rehabilitación, aguardando la entrevista con los especialistas.

El supervisor sabía que en Rehabilitación los enfermos necesitaban más ayuda porque —al no poderse valer plenamente de piernas, brazos o espalda— a cada uno tenían que acompañarle una o dos personas, dificultando la circulación general.

Luis evitaba deambular a esas horas, pero el doctor Piquer le había reclamado.

Se encaminó al Edificio Central, enfadado también por la incertidumbre que le producía la reciente relación con el médico.

En la pedantería de Jaime Piquer estaba su pensamiento cuando Luis llegó al Pabellón Central.

El doctor Piquer le esperaba en Urgencias. Al verle, se acercó rápidamente.

—Ya lo tenemos aquí, Luis. Se llama Esteban Medina. Se rumorea que ha estado enrollado con la mujer de un sobrino; una tía buenísima.

A Luis se le pegó la bata al cuerpo, por la que se le venía encima, y al capullo de Piquer se le ocurrían comentarios de camionero.

Como estaba previsto, Piquer lo había preparado todo para que al anciano se le hospitalizase en la Planta de Luis Pons. La habitación ya estaba vacía desde hacía tres días; algo inusual, por la cantidad de enfermos que siempre había en Rehabilitación.

—De momento, lo dejaremos en la habitación con un acompañante que ha designado la familia. Ya tengo a la enfermera que lo cuidará.

—Pero la *chinita* me tocará a mí, ¿no? —afirmó, más que preguntó, Luis.

La respuesta ya la sabía Luis Pons. Solamente le sorprendió la manera de contestar del doctor Piquer:

—Afirmativo.

Hablaba como los pilotos: *afirmativo*. En otras circunstancias Luis hubiera querido decirle a aquel pijo cuánto se le estaba atragantando.

Unas horas después, el arquitecto Carlos Roger se presentó como sobrino de Esteban Medina; parecía un manojo de nervios. Eso suele sucederles a los que no están acostumbrados a los hospitales. Los sanitarios tratan de ser corteses con ellos y decirles frases tópicas, resultonas, del tipo: «estará muy bien cuidado» y «es un hospital muy moderno que tiene la mejor tecnología».

Las enfermeras cuchicheaban sobre el aspecto del joven arquitecto, comentando lo «interesante» que era y lo «bueno» que estaba. Todo aquel jaleo molestaba a Luis Pons, que prefería la discreción. Quería autoconvencerse de que cuanto más se hablase al principio, antes se cansarían del asunto.

Liana Torres era la esposa del arquitecto; una famosa modelo, a la que la prensa amarilla achacaba un romance amoroso con Esteban Medina. Las enfermeras y celadores, con sus chismorreos, juzgaban detalladamente los movimientos de la joven pareja.

María Jesús, la veterana enfermera, se acercó al supervisor. Por su sonrisa supuso que le hablaría de Liana porque esa mañana la modelo era la comidilla de todas las ATS del Pabellón. Preguntó:

—Luis, ¿cuántos años le echas a la *modelito*? Veintiuno. Y se llama Juliana. Lo he visto porque le he pedido el DNI «para rellenarle la ficha de familiar». Tengo una fotocopia por si no te lo crees. Ya le preguntaré, con tacto, si de verdad se van a separar por lo de su *tío*. Menuda pájara: se lía con el viejo y a heredar.

—María Jesús, no te emociones —advirtió Luis Pons, con voz forzadamente neutra—. Seguro que, de todo lo que se ha publicado, habrá algo no muy cierto.

Como al enfermero no le gustaban los derroteros que tomaba la discusión, trató de zanjar la disputa mostrando agresividad:

—Pero nada te va a detener hasta que lo averigües.

—Yo no ando con rodeos, hijo. A mí no me engañas. Te mueres de ganas de saberlo y estás ahí, haciéndote el indiferente.

Luis Pons sabía que María Jesús era una enfermera de gran profesionalidad y experiencia; también partidaria de buscarle tres pies al gato. Estaba seguro de que ella emplearía su peculiar habilidad para hacer indagaciones.

La expectación chismosa de la mayoría del personal de enfermería estaba muy lejos de la inquietud que sufría el supervisor.

Luis Pons volvió a concentrarse en el trabajo.

Estaba sentado ante el monitor del ordenador sin prestar atención a las existencias ni a la pantalla. Era el modo de enfrascarse en sus pensamientos y no sufrir molestias o interrupciones.

Cuando era muchacho empleaba un método propio para coger pronto el sueño. En verano, cuando no se dormía enseguida, se imaginaba montado en una bicicleta subiendo una montaña, como las de la vuelta ciclista a Francia, y pedaleando de pie sobre la bici. Repetía ese movimiento mentalmente y con los ojos cerrados hasta que se dormía.

No sabía muy bien por qué lo asociaba con el verano.

Delante del ordenador empleaba la técnica de aparentar fijarse en el monitor. Con el transcurso del tiempo, llegó a adquirir maestría para ejercitarla con tranquilidad; ahora la usaba cuando no podía emplear mejores recursos.

Tenía tan evolucionado el método con el ordenador que lo usaba asiduamente en el trabajo. Se ponía a pensar en determinadas estrategias con el fin de concentrarse, argumentando en todas las direcciones que le conviniera. Como aparentemente parecía consultar las existencias, su pensamiento podía divagar sobre cualquier cuestión.

Le venía muy bien este ejercicio cuando padecía ansiedad.

Luis Pons no estaba casado ni tenía pareja estable. A veces se decía que no convivía con una mujer por sus dificultades económicas. Cuando comenzó a trabajar como supervisor el salario le alcanzaba holgadamente para atender los pagos que tenía en aquella época. Aunque actualmente su retribución había crecido, debido fundamentalmente a las guardias, los gastos aumentaron mucho más; le resultaba muy difícil poder atender la factura mensual de la residencia de su madre, la hipoteca, los impuestos y los gastos de coche y un piso. Sin olvidar el costo de sus aficiones —los libros, el cine, la música... y sobre todo la fotografía—, a las que se resistía a renunciar; con todo, era ya el único apartado del que podía reducir gastos.

Por otro lado, Luis reconocía que ninguna mujer le había estimulado lo suficiente como para vivir juntos.

Pero desde que se encontró con Adela en el Hospital, y los posteriores encuentros, su vida había cambiado. Pensaba que Adela no era una mujer deslumbrante, pero le parecía imposible de olvidar. Desde primera hora de la mañana, Luis estaba obsesionado con aquellos ojos verdes. Hacía innumerables llamadas a la chica y continuamente la tenía presente.

Sin embargo aquella mañana fue una excepción y necesitó ejercitar su juego relajante, dándole vueltas a lo que estaba ocurriendo. El análisis de la situación le producía zozobra. Un entramado sutil, difícil de explicar y del que no hallaba forma de salir sin traumas.

Con la vista puesta en la pantalla, iba convenciéndose de que le convenía obedecer al Negociante, pero con toda la prudencia del mundo.

Tenía que ser hermético y no comentar aquellas impresiones con nadie. Desde ese momento se había propuesto rehuir contactos y conversaciones con Jaime Piquer, o con cualquier otro que estuviera en el meollo del caso, hasta que llegaran mejores tiempos. Decidió seguir esa línea de actuación y convencerse de que aquél sería el último encargo del Negociante.

CAPÍTULO 11

Aquella noche Luis tenía turno de trabajo; era la ocasión elegida para poner en práctica las instrucciones que le había dado el doctor Piquer: hacia la media noche, cuando el acompañante de Esteban Medina durmiera profundamente, él se encargaría de poner un gotero al anciano. También llevaría el cloruro potásico para que, posteriormente, se lo administrase el propio Piquer.

Siguió repasando mentalmente punto por punto la estrategia que debía emplear, sin dejar ningún cabo suelto.

Los nervios le podían jugar una mala pasada y dedicó todos sus esfuerzos a controlarse.

Se presentó una contrariedad: no se le iba el sudor de las manos por más que se las lavaba continuamente. Cuando le sudaban las manos se sentía incómodo y hacía grandes esfuerzos por ocultar la sudoración, que llegaba a causarle un fuerte complejo.

En momentos de tensión pueden venir a la memoria las cosas más peregrinas. Luis recordó haber leído en una novela que un personaje, como remedio para el sudor, ponía sus manos un buen rato bajo el grifo de agua caliente.

El agua que salía del grifo de su aseo apenas estaba tibia y no pudo comprobar si el remedio era eficaz. Empezó a maldecir y soltar la rabia que le producía la fontanería: «qué país más cutre».

Se propuso experimentar un remedio: diluir lejía en agua, al cincuenta por ciento, y sumergir las manos largo rato. Pareció funcionar al principio, pero después se le presentó otro inconveniente: no era capaz de eliminar el fuerte olor de la lejía. Dejó los utensilios y colocó la propia botella dentro de la palangana. En caso necesario diría que se le había roto el tapón al tratar de abrir la botella de lejía, como pasaba frecuentemente con aquellos cierres de mala calidad.

Estas consideraciones descentraban a Luis, que sentía crecer su enervamiento.

A eso de las diez de la noche fue a la cafetería con la finalidad de hacerse ver y departir con algunos compañeros, que estaban allí predisponiéndose para lo que sería una larga noche.

Se despidieron todos los del grupo y Luis se insufló ánimo para continuar con el plan.

Cuando estuvo en su despacho metió una jeringuilla y el cloruro potásico en el bolsillo de la bata. Las manos le ardían resecas por efecto de la lejía rebajada.

Salió por el pasillo tan nervioso como si tuviera que hablar ante un público numeroso.

El acompañante de Esteban Medina dormía profundamente emitiendo pequeños ronquidos y el viejo también estaba quieto.

Luis salió al pasillo, para hacer una comprobación más.

Todo permanecía silencioso.

Volvió a entrar, cerrando por dentro el pasador de la puerta. Acercó el soporte del gotero y apartó la ropa de la cama del enfermo para sentarse y pincharle

El anciano estaba frío.

Luis Pons, con precaución y procurando controlar su estado nervioso, trató de encontrarle el pulso, sin resultado.

Todos los intentos de reanimarle fueron inútiles.

Esteban Medina estaba muerto.

Muy excitado, abrió la puerta y se encaminó al despacho. No había previsto esta situación, sino que sería la enfermera o el acompañante de la habitación quienes lo descubrieran. Contempló la hipótesis de que alguien lo hubiera visto.

Estaba agitado y respiraba por la boca. En aquellos momentos el corazón le iba a ciento cincuenta y la cabeza a mil.

Lo mejor sería actuar como si todo hubiera sucedido normalmente, como si no estuviera al tanto del plan para precipitar la muerte del anciano. Aquella muerte había dado un vuelco a la situación. Debía concentrarse en todo lo que tenía que hacer y no pensar en otra cosa.

Avisó a los intensivistas, que tampoco pudieron hacer nada por el viejo. En esta ocasión no se esforzaron como habitualmente. Sus comentarios resignados abundaban sobre la conveniencia de aquel final para la familia y «para todos». Entre ellos no estaba el doctor Piquer; Luis no les preguntó por él.

Se había propuesto no sacar a relucir a ninguno de los implicados, salvo que fuese imprescindible.

Una hora más tarde, llegaron al hospital los familiares del fallecido Esteban Medina. Se percibía el trato singular que recibían. Muchos de los presentes llevaban batas de médico y la conmoción no tardó en generalizarse. Por allí iba pasando toda la gente importante que estaba de guardia. Los teléfonos móviles divulgaban la noticia de la noche. Era increíble el impacto mediático que suscitaban los habituales protagonistas de la prensa del corazón.

El doctor Bernal, subdirector del Pabellón, se sentó ante la pequeña mesa de despacho de Luis Pons. Llevaba el traje verde de quirófano y una bata blanca. Le ofreció un cigarrillo al supervisor, que aceptó. Se dio cuenta, por la tos, de que Luis no era fumador habitual. Anticipándose, Luis le confirmó su presentimiento:

—No, no lo he hecho nunca.

—No hace falta que lo jures. Lo encontraste tú, me han dicho.

Le contó su versión de lo sucedido.

—Su sobrina está desconsolada. Quiere hablar contigo, a solas —le advirtió cautelosamente el doctor Bernal—. No me extrañaría que te cargara las culpas. Sí, no pongas esa cara. Me parece que «tampoco» estás acostumbrado a eso.

Entornó los ojos; estaba cansado. Aspiró profundamente el cigarrillo y, jugueteando con la otra mano con la cajetilla de Winston, continuó:

—Para «los de trauma» estas cosas son más habituales; todos los días damos noticias jodidas. Los padres les compran a sus hijos motos que parecen de competición y además les dan dinero sin preguntarse en qué coño lo emplearán. Tampoco tienen ni idea de las animaladas que se meten en el cuerpo y, si se pegan una hostia, la culpa nos la cargan a nosotros, porque no hemos conseguido salvarlos. No es que no lo entienda, pero no me acostumbro a que siempre sea así.

Se levantó y, con unos golpecitos en la espalda, le recomendó al supervisor que aguantara el chaparrón que se le avecinaba con la sobrina del muerto.

Cuando llegó Liana Torres no llevaba su acostumbrado tocado *como despeinado* sino que, simplemente, no se había peinado. Su marido Carlos Roger abrió la puerta del pequeño despacho y la dejó a solas con el supervisor, cerrando el cuarto. Luis apenas pudo expresarle su condolencia, como se esperaba en casos como éste.

La mujer comenzó, amenazadora:

—Ustedes tienen que responder por lo sucedido; no han prestado a nuestro tío la atención que nos prometieron. En mala hora les hicimos caso cuando nos aconsejaron este hospital.

Luis se quedó impresionado por el enfado de aquella mujer. Liana, mirando al techo, continuó desahogándose:

—¿Cómo es posible que mi tío esté frío Dios sabe hace cuánto tiempo y nadie se dé cuenta de nada? Con esas máquinas de controles que tienen ahora.

Estalló en sollozos. El supervisor se quedó atónito y sin saber qué hacer. Estuvo tentado de ofrecerle su pañuelo, pero apestaba a lejía. Lo más prudente era aplicar la experiencia del doctor Bernal y no tratar de entender por qué Liana le decía esas cosas. El enfermero se lo repetía a sí mismo, buscando la forma de encajar la andanada que, a solas, le estaba soltando Liana Torres.

El arquitecto entró y la tomó cariñosamente por los hombros. La mujer hizo un gesto ambiguo al supervisor. Carlos Roger miró a Luis Pons con ese desdén con el que la gente de alcurnia mira a las personas que no han hecho bien su trabajo. Y se llevó a su esposa.

El enfermero se quedó como desmadejado, sin saber qué hacer. En el pequeño lavabo se lavó las manos con jabón repetidas veces y, con mucha minuciosidad, se puso crema hasta el antebrazo.

Estuvo absorto en el aseo; no lograba poner orden en sus pensamientos. Se acordó de Miguel el Cojo, de las charlas que ambos tenían en momentos difíciles. Tendría que llamarle, quedar con él y ver si podía pedirle su parecer. Lo desechó: ¿cómo le iba a explicar que tenía el encargo de ayudar al doctor Piquer a facilitarle el tránsito a Esteban Medina?

Luis se sentó en la silla giratoria, aplastado y confundido por los sucesos de la última hora.

El desenlace no le había liberado, notaba un gran peso moral. Su autoestima estaba por los suelos.

No dejaba de repetirse que no entendía nada.

CAPÍTULO 12

A Luis Pons le desbordaban los acontecimientos y le asaltaban las vacilaciones: ¿debía contar la verdad al Negociante y al doctor Piquer? Dudaba si debía continuar ocultándoles lo sucedido o si les confesaba que no había tenido participación activa, de manera que nunca se le pudiera acusar de ser el causante de la muerte de Esteban Medina. Por otra parte, le parecía que había pasado suficiente zozobra como para que los implicados en el asunto tuvieran en cuenta su participación. Decidió esperar, para no darle pistas al Negociante y dejar ya saldada su deuda con él.

Entre estos vaivenes decidió conveniente atrincherarse y observar la reacción del Negociante, para adoptar la postura más oportuna.

El Negociante contactó con Luis a través del teléfono de su despacho:

—Tengo que reconocer que no me ha defraudado su actuación. Muy eficaz.

Aquellas palabras confirmaban a Luis lo conveniente de su estrategia: silenciar que encontró frío a Esteban Medina. Se las arregló para esquivar lo que le interesaba y derivó por otros derroteros:

—La sobrinita se pasó un poco con la representación.

El Negociante callaba.

No se había cortado la comunicación. Luis pensaba que con este individuo era tan importante considerar lo que decía como su silencio.

—Quiso hablar a solas conmigo —dijo por fin Luis— en mi despacho. Parecía hacerme responsable de no vigilar adecuadamente a su tío. Comprendo que eso lo dijera delante de otras personas.

—Los sobrinos no sabían lo que íbamos a hacerle al viejo.

El Negociante tenía la habilidad de comprender las percepciones de Luis. El enfermero optó por esperar a que el enigmático sujeto fuera desgranándole la información:

—No fueron los sobrinos de Esteban Medina los que me pidieron ayuda. Ellos son ajenos a todo el montaje.

—No lo entiendo. Usted insinuó que había que quitar esa carga a los familiares.

—Sí —le interrumpió el Negociante—, pero no me pareció conveniente adelantarle a usted que la pareja no sabía que su tío acabaría de este modo. Al contrario, hicimos creer al matrimonio que confiábamos en una momentánea recuperación. Digamos que la... sugerencia —recalcó esta palabra— vino de alguien deseoso de remediar una situación desesperante.

—Alguien harto de las habladurías de las revistas del corazón, por ejemplo.

—Todo ese follón de los amoríos de la chica con su tío no era más que un montaje para impedir que el anciano declarase como testigo de cargo en un pleito de estafa al Estado.

A Luis Pons le costaba soportar las alambicadas revelaciones del Negociante, que —sin alterar su voz— prosiguió:

—En fin, también quiero decirle que le pagaré la parte que le corresponde: dos millones de pesetas. Dentro de *siete días...* —le interrumpió una risa socarrona y puntualizó—: esta vez, sí acudiré. Nos veremos en la cafetería del hospital, a la hora del desayuno.

La última sorpresa que guardaba en la manga aquel tipo. Hasta este momento, Luis Pons especulaba que el trabajo realizado para el Negociante había sido a cambio del anterior «favor de asesoramiento» para cobrarle al Seguro. Cuál no sería su sorpresa al saber que percibiría dos millones de pesetas por nada.

No eran habituales los paseos del supervisor hasta la cafetería, pero desde la última llamada del Negociante se propuso acudir allí con alguna frecuencia. Una mañana se le acercó el doctor Piquer. Le indicó que se levantara de la mesa, que compartía con otros sanitarios, con intención de hablarle a solas.

—Todo salió a pedir de boca. Ahora a cobrar y tan contentos. Sobre todo tú, que no te herniaste. ¿Verdad?

A Luis sólo le faltaba que Jaime Piquer le desasosegase. Se contuvo y recurrió a la estrategia de no responder y esperar, pero a Piquer se le ocurrió apremiarle, como en una película de gansters:

—Dispara.

—Hice lo que se me pidió, ir a ponerle un gotero y llevarle a usted el cloruro potásico.

—Por supuesto, ilustre. Aunque ya se lo había aplicado yo.

Luis trató de disimular su sorpresa. ¡Piquer había inyectado a Esteban Medina! Días antes había creído que la naturaleza le evitaba un mal recuerdo para toda su vida y la realidad se le descubría ahora. Tal vez el Negociante se refería a eso cuando especificó que «la parte» de Luis Pons eran dos millones.

¿Cuántos cobraría Piquer?

El médico intentaba decir algo trascendente:

—La convivencia con los muertos nos deshumaniza un poco. La vida está llena de pequeñas historias. Hace muchos años que no tengo fe en los hombres.

No habló más. Luis Pons no entendía la oportunidad de aquellas frases traídas por los pelos. Pensó que, seguramente en aquel momento, eran muchas palabras para el doctor Piquer.

CAPÍTULO 13

El séptimo día el Negociante llegó a la cafetería puntualmente, como había anunciado. Dejó sobre la mesa un paquete que se asemejaba a un bocadillo como los que llevaban bajo el brazo los celadores del hospital, cuando iban a almorzar.

Una vez más adivinaba las cavilaciones de Luis:

—No se le ocurra comérselo. Ni lo destape en público. Contiene los dos millones que le comenté.

Le agradeció, cortés, su entrega; también le notificó que ya figuraba en su cuenta bancaria el ingreso de las quinientas mil pesetas del coche.

Sentía gran curiosidad por saber más de aquel hombre; le pareció buen momento para preguntarle al Negociante por su relación con el doctor Piquer.

—Nos pedimos y hacemos favores mutuamente —comenzó con recelo el oscuro visitante—. Es una relación merecedora de ser llamada «comercial», porque cobramos los servicios.

El Negociante sabía dosificar la tentación adecuadamente y lo hacía persuadiendo. Aquel tipo sabía que era dominante y que Luis haría cualquier cosa que le pidiera.

Después de un estudiado silencio, resumió:

—Es la misma relación que estamos teniendo usted y yo.

Luis notó que el Negociante no quería hablar más. Se despidió educadamente, pero sin apretón de manos ni nada que mostrase afecto, aunque fuera superficial o convencional, como a veces se prodiga entre los hombres.

Ya en su despacho, Luis Pons cerró la puerta y deshizo el paquete, quitándole el papel de aluminio que envolvía un taco de cien billetes de 10.000 pesetas y dos paquetes más, cada uno de ellos de cien billetes de 5.000. Estaban dispuestos de manera que tuvieran la forma de bocadillo.

Examinó los tres paquetes detenidamente. Una y otra vez los miraba con la indiscreción de quien no ha tenido tanto dinero en su vida. Desde niño había oído a la gente referirse a un millón de pesetas como «un kilo».

En ese momento sintió curiosidad por conocer el peso de los billetes. Asignar a un millón el peso de un kilo debió de ser en una época anterior, cuando el billete más grande era el de mil pesetas —o con un gramaje de papel más grueso— porque el millón de pesetas, en billetes de 10.000, pesaba sólo 110 gramos; los dos paquetes con billetes de 5.000 pesetas pesaban 195 gramos.

Sus dos «kilos» pesaban trescientos cinco gramos.

Permaneció un rato mirando el contenido de la báscula, reflexionando sobre la facilidad, la lógica y la fatalidad con que se habían desarrollado las cosas para que en poco tiempo Luis acumulara una cantidad de dinero, que con su sueldo *normal* hubiera tardado en reunir cerca de dos años.

Guardó los billetes en la cartera de mano y quitó el cierre de su puerta.

Los despachos del Hospital que asignan a los médicos son pequeños y los de los supervisores, minúsculos. En el de Luis se pasaba directamente desde el recibidor al pequeño recinto donde tenía la mesa y el ordenador. Al lado había un minúsculo pasillo con unas estanterías para las medicinas de uso más frecuente y, al final, un servicio de aseo que servía de salida ocasional.

Por esas penurias de espacio, en la mayoría de las puertas se colgaban letreros que informaban sobre cómo debían proceder los que necesitasen entrar. Luis tenía impresas dos advertencias. Una de ellas decía: «*No pasar*. Llame y ESPERE. Le atenderemos con suma rapidez».

Luis Pons cambió este aviso por el segundo, que decía: «*Llame* y entre, por favor».

Los cartelitos no parecían dirigidos al personal del hospital, que se saltaba las instrucciones a la torera, dando lugar a situaciones incómodas y hasta grotescas. Por eso Luis se aseguraba de poner el pasador interior, cuando necesitaba intimidad.

Algo más tarde, Luis Pons marcó el número de Adela Portolés. La chica dijo al descolgar:

—Deli.

—Soy Luis Pons.

Primero fue una alegre exclamación: «¡Ah, hola!» y, cuando Luis le expuso el motivo de la llamada, una sonora risa:

—Tiene el pie muy bien. Y a ti, ¿qué tal te va?

—Estoy estupendamente. Me gustaría que saliésemos. Ahora soy yo quien tiene motivos para invitarte a un buen restaurante.

—¡Como en las *pelis*!

—Pero mi invitación... No te lo proponía de esa manera. Allí terminan en la cama.

—Mi profe diría: «En el contexto cinematográfico»...

—¿Qué me contestas?

—Contesto o contexto— se rió con ganas.

A las ocho pasaría a recogerla para ir a la Malvarrosa, junto al mar. Tendrían que tomar un taxi. Adela se ofreció para ir con su coche: «Por la vuelta, que nunca encuentras taxi».

Hasta ese momento, Luis apenas había acusado la falta de coche porque para desplazarse de casa al trabajo hacía tiempo que había descubierto el Metro; solamente en contadas ocasiones sacaba su vehículo. Después de hablar con Adela Portolés comenzó a plantearse la conveniencia de adquirir un coche. Un pensamiento banal, irrelevante, le vino a turbar —¿iba a asegurar el coche nuevo en la misma Compañía?— y a recordar el sesgo que habían tomado sus asuntos.

CAPÍTULO 14

Cuando Luis y Adela llegaron a la Malvarrosa la tarde daba paso lentamente a la noche. Era la hora que en algunas comarcas valencianas llaman deliciosamente *a poqueta nit* y había gente de paseo disfrutando la suave brisa marina. Unos niños con brío inagotable jugaban en la arena; su energía contrastaba con el visible cansancio de los padres o abuelos. Sudorosos grupos de adolescentes se entretenían con el voley-playa o jugando al fútbol. Unos cuantos pescadores, sentados entre dos largas cañas, miraban el horizonte que ya empezaba a oscurecerse.

Adela había dejado su coche en los amplios aparcamientos y propuso pasear hasta la hora de la cena. Caminaron muy juntos, elogiando el acierto de aquel proyecto del que evidentemente disfrutaban los ciudadanos.

—Creo que la recuperación del antiguo cauce del río Turia ha sido un acierto, pero esto de la Malvarrosa también ha sido una buena cosa.

Luis dejó que Adela se extendiera en elogiar las mejoras de la ciudad, al tiempo que su pensamiento disfrutaba con las peculiares construcciones de ella y la manera de calificar: *una buena cosa*.

La mujer continuaba elogiando el Paseo Marítimo de la Malvarrosa, que resultaba especialmente agradable en los días previos a la primavera.

—Valencia ha vivido históricamente dando la espalda al mar, pero yo creo que desde hace algunos años la conciencia ciudadana pretende corregir ese olvido y acercarse al Mediterráneo. Los valencianos tenemos que venir más a la Malvarrosa.

Él notaba que la compañía de Adela le complacía mucho; le parecía una chica espontánea y cariñosa. Interrumpió los elogios urbanísticos y comenzó a expresarle sus sentimientos. Ella caminó más cerca de Luis, sonriente y halagada.

En el restaurante se sentaron en la mesa más próxima al mar. Cenaron muy a gusto, aunque un pequeño incidente vino a emborronar la grata velada. El camarero comenzó a apremiarles alegando que tenían que cerrar el establecimiento, argumento que a los dos comensales les pareció endeble porque a esas horas otros restaurantes, allá en la ciudad, aún no habrían empezado a servir cenas. Estaban felices, disfrutando de la sobremesa a la orilla del mar, y la apresurada interrupción les desagradó. Así lo expresó Luis a la hora de pagar.

El empleado se justificó diciendo que estaban fuera de temporada y que eran pocos los comensales. Ella le apuntó, con una pícara sonrisa, que con «esa marcha» no iba a aumentar mucho la clientela.

—Es igual, Luis, vamos a pasear un poco.

Durante el día, el Paseo era una invitación a disfrutar de la brisa del mar y de la luz mediterránea. Pero cuando salieron del restaurante la iluminación del Paseo había sido reducida al mínimo y estaba desierto. La oscuridad imprimía un tono desagradable y hosco a las grandes aceras con palmeras alineadas. Los bares de la zona tampoco estaban animados porque en esa época del año abrían menos horas que en los meses más calurosos.

A Luis no le molestaba la falta de luz, pero condescendió con el deseo de ella de regresar a la ciudad. Por la Avenida del Puerto, la chica propuso:

—Vamos a mi casa. ¿Te parece?

Luis puso cara de extrañeza y ella le anunció, divertida:

—Mis padres están fuera —le miraba de reojo, esperando su reacción—. Hay tónicas y ginebra «Bombay Saphire».

—Huuum. Como siempre dicen en el cine: «Eso suena bien».

Adela siguió criticando el triste aspecto que tenía el camarero del restaurante:

—Esto no nos habría pasado con una camarera, seguro. Una de mis profesoras nos decía algo como que «las mujeres somos más sensibles a las señales procedentes de la comunicación no verbal» ¡Seguro que, en alguna ocasión, le habrá tocado este camarero!

La casa de Adela era nueva, a orillas del antiguo cauce del río Turia, y se habían trasladado hacía poco tiempo. Vivía en el séptimo piso. Dos terrazas de la vivienda caían sobre el alargado jardín. Tenían pocos muebles, casi todos estilo Ikea.

—Hay muchos blancos y negros. Son mis colores predilectos —comentó Luis.

Se refería a los colores de la pintura y de las puertas. Las paredes estaban pintadas de blanco, lo mismo que las puertas, que tenían manecillas negras. El sofá y los sillones eran de piel negra.

—Faltan algunas cosas. Mis padres quieren amueblar este piso poco a poco.

Como si fuera necesario, puntualizó:

—Para mí, he preferido la casa del pueblo.

Adela propuso que fueran a la cocina a preparar las bebidas. Luis sacó la bandeja con los gin–tonics hasta la terraza y volvió adonde estaba ella, en su estudio, poniendo un disco de Sting: *Every breath you take*.

—Cuántos libros por todas partes: me gustan así.

Se acercó, coqueta.

Luis le dijo:

—Toda tú me gustas.

—¿Dónde habías estado hasta ahora?

—Te estaba esperando. Pienso constantemente en ti; me lo paso muy bien contigo y no cambio el gusto que me pueda producir cualquiera de mis aficiones por estar a tu lado. Es maravilloso que estemos así.

Adela Portolés cerró sus bonitos ojos verdes, disfrutando del momento. Comenzaron a saborear las bebidas. Ella se había sentado en la hamaca y elogiaba su comodidad.

Quiso saber por qué no había sido médico.

—La carrera de Medicina es muy larga —comenzó Luis—. Cuando murió mi padre, teníamos que sobrevivir con la pensión de viudedad de mi madre y lo que se sacaba de unas pocas tierras. Gran parte de *los dineros* se los llevaba mi hermano mayor, que quería ser piloto civil. Los abuelos le ayudaban bastante en sus constantes viajes o las estancias en Texas y las prácticas de vuelo. En aquellos momentos no pude empezar Medicina porque en la familia se hizo imprescindible mi ayuda, pero te confieso una cosa: no sé si estudiaría para médico. Me gusta mi trabajo.

Se sinceró diciendo que en la Sanidad uno se encuentra gratificado por los demás como en muy pocas profesiones. Y bromeó:

—¡Fíjate que no hice casi nada por ti y cómo me lo has agradecido!

Siguió contando que se sentía feliz atendiendo a la gente; en los turnos de noche podía darse atracones de lectura.

Adela le mostraba con sus gestos que estaba convencida de que lo que le contaba era cierto.

Sonrió a Luis y aseguró:

—Yo he terminado Filología Hispánica.

—Nadie es perfecto.

La joven siguió contándole a Luis que tenía un hermano mayor que había terminado Económicas y se estaba forrando, «pero me quiere mucho».

A Luis le gustaba cada vez más el modo tan original de intercalar juicios de Adela.

La chica fue al salón y escogió un disco de Eric Clapton. Después de unos apasionados comentarios sobre el famoso guitarrista, invitó a Luis a escuchar su *Change the world*:

—Mira lo que dice: «Si pudiera alcanzar las estrellas»...

Adela iba traduciendo aquella canción, que hablaba de un enamorado que quería cambiar el mundo. Cuando terminó, Luis alabó sus conocimientos de inglés. Adela, como para restar importancia a su habilidad como traductora, le dedicó una deliciosa carantoña.

—Seguro que tienes muchas virtudes... escondidas— aventuró Luis.

—Yo repetiría —eludió ella, señalando los vasos vacíos.

Volvieron con la bandeja hasta la terraza.

Con toda llaneza, la chica abordó el tema que a Luis le estaba mareando:

—Creo que cuando terminemos éste —levantó un poco el vaso de gin-tonic— te voy a acercar a tu casa.

Luis comenzó a decir que pediría un taxi, pero accedió a que Adela le llevase. Ella quiso justificar su ofrecimiento:

—Así seguiremos juntos un rato más.

—Lo hemos pasado estupendamente, Adela. Me gusta tanto estar contigo que sólo pienso en que nos volvamos a ver.

La cara de Luis mostraba la contrariedad que le producía dejar la casa de la chica, pero ella le atajó sobreactuando:

—Hay que disfrutar lo que tenemos y no lamentarnos de lo que falta.

Se levantó como si hubiera recordado algo importante:

—Te voy a dejar unas poesías, de un buen amigo, que quiero que leas.

Regresó con el libro «Para guardar el tiempo», de Álvaro García Romero. Una edición muy cuidada. Luis lo abrió con curiosidad y leyó la cariñosa dedicatoria del autor. Al hojear el libro se detuvo en unos versos y opinó:

—Aquí se ve la diferencia que hay entre un poeta y un tipo como yo a la hora de expresar sentimientos. Mira lo que dice tu amigo Álvaro:

Dime por qué sabías
que yo te estaba esperando.

Y este otro:

Nosotros
que, sin nombre,
andábamos buscándonos.

A ella le pareció acertadísima la elección de los dos versos, pero solamente le dijo:
—Recitas muy bien.

CAPÍTULO 15

El vecino del piso llamó a la puerta de Luis a las ocho de la mañana. Se había dejado abierta la de su vivienda y del interior salía el sonido de una emisora de radio. Vestía pantalón de chándal y camisa a cuadros. Estaba prejubilado y cuidaba del enfermero como si fuera uno de sus cometidos en la vida. Le contó con sumo lujo de detalles que un policía le había dejado la citación la noche anterior.

El agente había llamado varias veces al piso de Luis y al no encontrarle dio el papel al vecino prejubilado advirtiéndole que no se demorase en la entrega; Luis tenía que ir «urgentemente a Comisaría, aportando toda la documentación, llaves, etc., etc., del vehículo reseñado, objeto de la denuncia».

Después de llamar al trabajo, para justificar el retraso, se encaminó a la misma Comisaría a la que se había propuesto no volver. En esta ocasión el trato que le dispensaron fue más personal. Le atendieron dos inspectores. Uno de ellos abrió un sobre y mostró a Luis tres fotografías en blanco y negro.

—Este coche era de su propiedad. Ha sufrido un accidente, en el que ha resultado muerto el conductor.

Le enseñaron las fotografías. Cuando las vio, no pudo reprimir la sorpresa.

—¿Qué tiene que decirnos, señor Pons?

—¿Lo conducía este hombre?

Era el Cigüeño.

—Sí. Un tipo tan alto que apenas cabía en el vehículo. Quedó como una braga. Casi lo descuartizan para sacarlo.

El compañero le recriminó el comentario. El policía reprendido se justificó:

—Pero si es médico.

—Soy DUE, supervisor —les puntualizó Luis, decidiendo aplicarse a la estrategia de esperar las preguntas de los policías.

—El vehículo llevaba puesta una llave en el arranque. Para nosotros esto está zanjado, pero el seguro quiere saber si se dejó usted puesta la llave original en el arranque al aparcar el coche. De ser así se trataría de un hurto y no de un robo.

—Permitan que me siente. Trabajo en traumatología y estoy acostumbrado a los accidentes, pero este caso me afecta más. Podía haber sido yo.

Luis iba a seguir con su pausada manera de afrontar los careos, aunque pudieran darse cuenta de que quería ganar tiempo. Aprovecharía esos breves espacios para pensar y poder argumentar con claridad y con todo el aplomo de que fuera capaz.

Los policías también se sentaron.

—La llave original es ésta —apuntó Luis.

La sacó del sobre que llevaba en la americana.

Examinaron detenidamente la llave que Luis Pons había conservado en su poder. Compararon los números grabados en las llaves. Tenían la misma numeración.

—Seguramente el que robó el coche encontró esa llave donde yo la solía esconder, dentro del guardabarros de una rueda delantera.

—Éste tiene la misma manía —dijo el que parecía más rudo, señalando al compañero. Volviéndose del todo hacia él—: a ver si te convences de que eso se le ocurre a cualquiera.

«Hasta a un tipo tan simple como este enfermero», pareció querer decir.

En ese momento se abrió la puerta y Luis se fijó en el recién llegado. Era un hombre que tendría la misma edad que él, alrededor de treinta y cinco años. Tenía un gran parecido a un actor de cine. Vestía de forma elegante y estaba sonriente; en tono divertido, preguntó a los policías:

—¿Conocéis al cabronazo que me ha multado? —cortó al ver a Luis Pons e inició una disculpa.

Le contestó uno de los policías:

—Viene algunas mañanas por la Gran Vía a jodernos a todos los que puede —señalando al supervisor, añadió—: Ya hemos terminado; era una comprobación para el seguro.

Luis pudo entender de qué hablaban: el del coche multado también era policía, se llamaba Justo y se encontraba gestionando algo en la comisaría cuando le avisaron de que un guardia municipal le había multado su coche, que tenía aparcado delante. Al llegar a la calle se encontró en el parabrisas el aviso de multa, que traía en la mano.

—Os dejo el papelito y, cuando lo veáis, explicarle que tenía bien visible mi cartón de «policía judicial».

Se acercó a Luis Pons y se disculpó de nuevo. Esta vez sonrió y saludó:

—Buenos días.

El supervisor correspondió al saludo.

Cuando se marchó, los policías volvieron a ocuparse del enfermero, le agradecieron su colaboración y lo acompañaron a la puerta del despacho. Antes de salir Luis preguntó cuándo había sido el accidente de su coche.

—Hace días. Ya sabe lo lentos que son los de los seguros.

En el hospital, Luis encontró una nota sobre la mesa: debía telefonear con la mayor urgencia a la empresa «Central de Negocio, S.A.». Mientras marcaba, caviló por quién debería preguntar, pues no sabía el nombre del Negociante.

Una voz de mujer contestó diciendo que era el Juzgado de Instrucción número treinta y cinco.

—Buenos días. Soy Luis Pons.

—Un momento, don Luis, soy la secretaria del señor Sastre —su voz sonaba afable, como cuando se está hablando con una persona con la que se debe ser cortés—, le pongo enseguida con él.

Todos parecían saberse muy bien la lección.

La impostada voz del Negociante:

—Me fue imposible contactar anoche con usted. Tenemos que vernos esta tarde. Le adelanto que estoy informado de su visita a la policía. No hay problemas, pero es mejor que hablemos personalmente.

A primera hora de la tarde, en la Pirámide de «Nuevo Centro», Luis le relató sucintamente su estancia en Comisaría.

—Se le nota que estudia mucho las cuestiones peliagudas y se prepara las respuestas. La persona que tenía que recoger su coche —hizo un gesto expresivo con los ojos—, el *jefe de taller*, se ha comportado como un insensato. No siguió mis instrucciones y le encomendó el trabajo a un perfecto idiota, que se puso a circular con el coche sin modificar las matrículas. Nos ha podido meter en un lío descomunal.

—¿A usted, por qué?

—Era una forma de hacer causa común. Ya me entiende.

Sí —pensaba Luis—. Por una vez le entendía perfectamente. Al Negociante no se le habría podido implicar en el asunto del Seguro.

—Desde el primer momento me pareció un tarambana —advirtió Luis Pons—; una persona incapaz de tomar precauciones y de lengua muy suelta. Me contó que lo llamaban Fernandín.

Pareció que el Negociante había dicho ya todo lo que le interesaba.

Iban a despedirse cuando Luis planteó una pregunta:

—¿Cómo se enteró usted de que me citó la Policía?

—Ya sabe que trabajo en el Juzgado número treinta y cinco. En los juzgados, para hacer la instrucción, hay que realizar investigaciones. Me ocupo de «todo lo de usted»; a la policía no tengo que decirle nada.

La misteriosa intervención del Negociante quedaba explicada. Pareció querer añadir «y a usted tampoco», pero lo único que salió de su boca fue una evasiva convencional:

—Eso era todo. Se me hace tarde.

Luis le planteó una pregunta más:

—Hace tiempo que quiero saber algo. Cuando lo de mi coche usted insistió varias veces en que me pagaría «a los siete días, ni uno más ni uno menos, de cobrar la indemnización» al Seguro.

El otro sonrió, asintiendo con la cabeza, y dijo:

—Me di cuenta de que le había impactado la frase.

—Mi pregunta es: ¿cómo sabría usted el día que me pagaría el Seguro?

—Suelen abonarlo a los cuarenta y un días —hizo una mueca—. Para nada me interesaba saberlo.

En ese momento, el Negociante terminó:

—Quizás en otro momento podremos continuar esta conversación. Ahora tiene que disculparme. Hasta pronto.

El enfermero apenas tuvo tiempo de responder a la despedida viéndole marchar entre los compradores que miraban los escaparates.

CAPÍTULO 16

Pero a Luis Pons le quedaban preguntas que plantear al Negociante.

Al día siguiente, en el Juzgado 35, Luis preguntó por el secretario. La mecanógrafa le pidió que esperase un momento porque estaba con *Su Señoría*.

—La juez —aclaró unos segundos después.

El Negociante salió del despacho y Luis Pons fue a saludarle, tendiendo su mano. Era la primera vez que empleaba ese gesto desde que se conocían.

Las dificultades crean connivencias.

—Salgamos, aquí no hay sitio para nada.

Tenía razón.

Bajaron en un ascensor ellos solos. «Es el de seguridad, reservado para reclusos que testifican en juicio», explicó el Negociante.

Luis quiso comenzar a abordar un tema que le inquietaba, pero el Negociante le cortó con un nuevo «aquí no».

Se sentaron en un banco de la Glorieta, a la sombra de las impresionantes magnolias. A un lado tenían un cercis, que la gente conoce más como el «árbol del amor», lleno de flores color lila. El Negociante se quitó sus gafas oscuras y animó a Luis a comenzar. El supervisor comenzó:

—Necesito que me aclare algunos aspectos del asunto de Esteban Medina.

—Básicamente usted está informado de todo. Al viejo se le han ahorrado sufrimientos. Algún día no demasiado lejano esa práctica será tan habitual como ahora el divorcio.

Levantó un poco los antebrazos, como para volver a centrarse en su discurso.

—Desde la primera mañana que nos vimos en el Hospital Levantino —continuó Sastre— supe que usted podía ser una persona apta para hacerme algunos trabajos.

Luis tenía recelos: el Negociante se le escabullía, aunque él tampoco le había dicho todo lo que pensaba.

—Será conveniente —habló el Negociante—, para que nuestra colaboración fructifique, que consideremos que «lo» de su coche era un examen necesario en su iniciación.

—Y el de Esteban Medina, la reválida.

—Voy a ir por partes: primero, el «robo» de su coche. Cuando fui al Levantino a ver a Miguel el *Cojo* —se interrumpió cambiando el registro de voz por otro coloquial—... Ya le he dicho en otra ocasión que conocía hace tiempo a este hombre; es funcionario de Correos y su afición a la fotografía es como un pluriempleo de fines de semana.

Se detuvo de nuevo y recuperó el curso de su razonamiento:

—Como decía, fui a visitar a Miguel para proponerle el «negocio» de *comprarle* su propio coche. Allí, en el Levantino, me enteré de que había recibido el alta. Y, al poco rato, entra usted en la habitación con su carta del seguro y me pone la solución en las manos. Excelente.

Con la mano derecha se dio un golpecito en la rodilla, antes de reanudar sus explicaciones.

—Bien, la cosa vino rodada y cambié el plan que tenía para el coche de Miguel por el de usted.

Permaneció silencioso un momento, observando a una joven mamá que paseaba a su bebé con el cochecito. Volvió a su aspecto concentrado cuando reanudó la conversación.

—Segundo: el caso de Esteban Medina. Es uno de esos trabajos que da «gusto» hacer porque no plantea ninguna contradicción, digamos ética. Al contrario, situaciones así deberían solucionarse por cauces permitidos. Me hablaron de un anciano con enfermedad terminal.

Luis Pons interrumpió el silencio con una pregunta:

—El doctor Piquer me encargó que le facilitase la inyección para Esteban Medina, pero cuando se la llevé ya se la había puesto él. ¿Por qué ese cambio de plan? ¿Por desconfianza hacia mí?

—No, no… nada de eso. Piquer y yo teníamos decidido que solamente él se ocuparía del viejo, pero me pareció conveniente que interviniera usted algo. Era una parte más del examen de prueba. Por otro lado Piquer me recuerda a los inspectores de Hacienda —empezó a sonreír—; un francés dijo algo muy significativo: «Los del Fisco son tan voraces que les regalas el desierto del Sahara y a los dos años te piden más arena».

Apoyó los codos en la parte superior del respaldo, giró su cabeza hacia Luis y le sonrió; como el enfermero percibió cierta locuacidad del Negociante, esperó a que continuase:

—Quería decirle a usted que jugué la baza de que iba a intervenir con la intención de rebajar las exigencias del doctor Piquer y me dio resultado. Su intervención, al ser supervisor, vendría muy bien para asignarle al viejo una habitación adecuada y agilizar los trámites administrativos.

Puso su cara más cínica para regodearse de Luis:

—Eso sí, fue idea mía añadir una «perversidad»: hacerle creer a usted que facilitaba el material. Mi intención era probar si estaba maduro para futuros grandes asuntos y también para medir su aguante. Necesitaba comprobar si era un buen elemento.

El Negociante resopló como quien no quiere hablar de un tema ya superado. Estuvo callado unos instantes y quiso terminar con una propuesta:

—Ahora que tiene la explicación, me parece que podemos hablar de si le gustará intervenir en un buen negocio. Una operación para los dos. Como estoy esperando cosas que me faltan, mejor sería que, para concretar todo, quedemos para otra ocasión —consultó una minúscula agenda—. Vamos a ver: en los cines Albatros el martes, en la sesión de las 16,30.

Era hora de despedirse. El Negociante hizo las últimas recomendaciones a Luis: no tenía que dejar escritas en ninguna parte ni direcciones ni teléfonos. Cuidar el ordenador, pero sobre todo vigilar lo que se decía por los teléfonos móviles: eran fáciles de interceptar y llevan incorporada algo así como una huella digital.

CAPÍTULO 17

Luis Pons comprobó que las catalpas de la acera de Correos ya tenían sus racimos de flores blancas. Se decía que en las ciudades mediterráneas, de clima benigno, apenas se puede percibir el paso de las estaciones si no se observa el arbolado urbano. Desde el advenimiento de los Ayuntamientos democráticos, los alcaldes competían en llenar las aceras de árboles: jacarandas, naranjos, cercis y ginkgo-bilobas ocupaban el lugar de las acacias, los olmos y los plátanos de épocas anteriores, que ahora —pensaba Luis— no parecían gozar de las preferencias de las autoridades.

Del edificio de Correos salió un hombre con camisa verde, que le saludó. Tenía amplia frente sobre ojos oscuros y las mangas recogidas justo por encima del reloj. En el bolsillo de la camisa llevaba unos papeles que sobresalían mucho. Caminaba ayudándose de un bastón negro; cuando apoyaba el pie derecho daba un pequeño giro.

—¿Cómo te va, Miguel?

—A ratos bien, Luis. ¿Qué es lo que tanto te preocupa?

—El *amigo* Enrique Sastre.

—¡Menudo elemento!

—Necesito que me disipes unas cuantas dudas y no sé si debo pedírtelo.

Miguel afirmó con la cabeza.

—Inténtalo. La gente del hospital podéis haceros querer. Seguramente no es fácil conseguirlo en otras profesiones, pero me trataste muy bien en el Levantino y pienso que nunca te lo agradeceré bastante.

Tomó a Luis del brazo y le recordó:

—Ya sabes que puedes contar conmigo, así que...

Decidió no terminar la frase.

Un tipo con arete en la oreja y chándal azul con listas rojas les pidió dinero. Luis Pons le apartó suavemente y comentó a Miguel:

—Nuestro Enrique Sastre me enredó para que colaborase en el ingreso del viejo Medina. Luego presentó la eutanasia como un problema límite, un caso de conciencia. Veo en los periódicos que están saliendo muchas otras cosas.

— ¿Has tenido algo que ver en ese asunto?

—Solamente lo del ingreso en la Planta—mintió Luis.

—Por teléfono me comentaste que querías información de todo lo referente al viejo.

—Ya sabes, Miguel, que, como falleció allí, se han dicho demasiadas cosas de esa muerte. En el hospital, Mateo me comentó, en una ocasión, que te oyó hablar de Medina con Enrique Sastre. Quiero que me cuentes cuanto más mejor, porque no sé si este hombre falleció de muerte natural o si le ayudaron a morir.

—Esteban Medina fue funcionario de Obras Públicas; después, aprovechando el *boom* del ladrillo, se dedicó a la construcción y promoción. Cuando se vio salpicado en la inspección de Concarsa —son cuatro mafiosillos pueblerinos que reparan carreteras comarcales—, el viejo pensó que en la indagación del asunto podrían salir a relucir cosas oscuras de su etapa en Obras Públicas. Se asustó y trató de llegar a un arreglo con ellos, pero se negaron los muy bordes. Medina, al que le quedaban cuatro telediarios, amenazó con destapar todo el montaje ante la comisión de investigación.

Se detuvo, levantó un poco el bastón hacia Luis y le preguntó:

—¿Te ha dicho algo, sobre esto, Sastre?

—Hasta ahora, no; no sé si lo hará. Anda, sigue con lo que sepas.

Miguel el Cojo le hizo un relato de toda la información que, algún tiempo atrás, cuando estaba convaleciente en el Levantino, le contó Enrique Sastre. Medina había tratado de buscar una salida airosa con los de Concarsa, que no querían asumir ninguna responsabilidad, aunque eran los grandes beneficiados de la estafa.

—Fíjate: hace años el viejo tenía un rollo de cinta de cincuenta metros, de los que le había quitado diez.

Luis Pons estaba intrigado y le pidió una aclaración más minuciosa. El Cojo siguió:

—Te estoy hablando de hace años, antes de que se endureciera la inspección topográfica, con una de esas cintas que se enrollan. Hacia la marca de veinticinco metros, cortó diez y pegó perfectamente la cinta. O sea, que del final del veinticinco pasaba al principio del treinta y seis. Cuando medían trozos de carreteras reparadas ponían un veinte por ciento más de lo que realmente habían arreglado. Aunque te parezca mentira, nunca descubrieron el pufo.

Caminaron en silencio. Se escuchaban conversaciones en diversos idiomas. Atravesaron la calle, aunque no lo hicieron por el paso de peatones; cuando intentaron subir a la otra acera, los coches aparcados «con calzador» se lo pusieron difícil.

—Tiene cojones la cosa: aquellas mediciones las hacía «el funcionario de Obras Públicas», confabulado con los responsables de restaurar los tramos de carretera. Todos estaban *pringaos* y todos chupaban.

Miguel reanudó su relato advirtiendo a Luis que lo que le contaría después ya se había publicado en la prensa, aunque con una lectura sesgada y partidista.

—El viejo sabía que se moría y los amenazó con contar todo si no compartían responsabilidades, a lo que se opusieron, con la mayor frescura, los cuatro socios de Concarsa; querían que el pobre viejo cargara con toda la responsabilidad.

—¿Medina fue valiente?

—No, no midió bien y lo empujaron al abismo. ¡Estos tíos del *ladrillo* no tienen vergüenza! Se creen impunes y con mucho dinero. Se escabullen tras marañas legales y juicios a promotores; subcontratan una y otra vez, culpan a arquitectos y a proveedores. Los de Concarsa se pusieron *puros*: «No pactamos con delincuentes», le dijeron. ¡Qué rostro! Y empezaron a desgranar en la prensa el «romance del viejo funcionario con la modelo». No hay tal historia de amor: es un invento que han lanzado sobre Esteban Medina y esa chica, Liana. El viejo no era rico, aunque vivía holgadamente. La familia del arquitecto Carlos Roger es rica, «rica de siempre». Eso que se dice: unos tienen dinero y otros son ricos.

Miguel el Cojo se detuvo y volvió a mirar a Luis Pons, como si quisiera averiguar si el enfermero había captado la diferencia. Su impresión debió de ser positiva, porque dijo:

—La vida es así. El pobre hombre le tenía un cariño paternal a la modelo y creo que estuvo a punto de ceder a la presión de Concarsa. Pero fueron precisamente ellos, los dos sobrinos, quienes le animaron a que siguiera adelante y lo denunciase todo.

Luis Pons no necesitaba más detalles para hilar el final de la historia: los empresarios decidieron silenciar al testigo de la estafa y para ello contactaron con el Negociante.

Como si no lo pudiera creer, preguntó al Cojo:

—Miguel, ¿qué te pidió a ti Sastre?

—Conocía a…un médico del Levantino y les concerté una entrevista.

Luis supuso que se trataría de Jaime Piquer.

Miguel adelantó el labio inferior. Miró con detenimiento a Luis Pons y le manifestó:

—Sastre es un tipo frío y astuto que se sirve de todos. Por dinero, hace lo que tenga que hacer. Es un delincuente, Luis, no te engañes. Un cabrón que te sacará todo lo que pueda y te dejará tirado como una colilla. Muy listo. El muy hijo de puta tratará de cogerte por los huevos y no conseguirás soltarte.

CAPÍTULO 18

Era martes. Luis buscó en el periódico la página de cine y comprobó qué película proyectarían en los Cines Albatros en la sesión de las cuatro y media, que era la hora escogida por el Negociante para su encuentro.

En la sala no había muchos espectadores porque la hora parecía más adecuada para pasear y disfrutar del buen tiempo.

A Luis le gustó *Le goût des autres*, una película de Agnès Jaqui. Le pareció un vivo ejemplo del talento de los realizadores europeos ante la feroz competencia de las películas norteamericanas.

Se encontró con el Negociante a la salida de la proyección y fueron caminando hacia el Paseo al Mar. Cuando entraron en el bulevar del Paseo, el Negociante empezó a explicar en qué consistía su nueva oferta. En los próximos días Luis Pons podía acudir al notario, para escriturar una nave industrial de quinientos metros cuadrados. Previamente, un banco le prestaría, mediante hipoteca, catorce millones de pesetas, para el pago de la compra.

—Me ha dicho el agente de la propiedad que antes de un mes alquilaremos ese local, por doscientas cincuenta mil pesetas al mes, a una multinacional italiana que lo quiere para instalar su nueva sede en Valencia. La nave vale mucho más de los catorce millones que pagaremos. Esta información usted no sabrá nunca de dónde viene. Un agente de la propiedad inmobiliaria está preparando todo el papeleo. Él mismo le acompañará a la edificación, al banco y al notario.

—¿A cuánto asciende el pago mensual de la hipoteca?

—Cien mil pesetas. Aunque tendrá que apartar otras cien mil mensuales, que son mis honorarios... y los de otra gente que interviene; así que le quedarán para usted cincuenta mil pesetas al mes. Y la propiedad legal de la nave industrial, que será totalmente suya dentro de once años.

Luis se sentía excitado y como en un mundo desconocido. Su *socio* le proponía un asunto de los que se habla con frecuencia en la prensa, aunque en este caso no habría publicidad alguna. Era una compraventa dentro de la legalidad.

Mientras el Negociante seguía hablando, el enfermero pensó durante un instante en las confidencias de Miguel el Cojo, pero enseguida decidió que tenía que apartar todos aquellos escrúpulos y seguir el camino iniciado. Ya se encargaría de pararle los pies al Negociante.

—Para que no exista ninguna traba, tendremos que hacer todo antes de que le llegue este caso al juez; porque, si no, la transmisión de dominio sería alzamiento de bienes. De ello me ocuparé en el Juzgado. Hay que darse mucha prisa; usted ha de tomar la decisión rápidamente... Lo tiene que hacer hoy mismo, en el sentido que quiera.

Luis Pons seguía dudando si aceptar ya el ofrecimiento. Era demasiado tentador, pero nadie da duros a cuatro pesetas.

El Negociante le dio una animosa palmada en el hombro y le aconsejó:

—¡Ah, lleve su máquina y haga fotos!

El supervisor anotó en el móvil el teléfono del agente con el que iría a ver el local.

La tarde siguiente se encaminó a la calle Quart.

La placa decía: «Vicente Rodríguez, Agente de la Propiedad Inmobiliaria (A.P.I.)». Era una oficina con un pequeño mostrador, varios despachos con paneles de aglomerado de madera y una salita de espera. El API —barba tupida de dos días, abundantes entradas, pelo encrespado y ojos despiertos— recibió a Luis y le pidió a la mujer del mostrador las llaves de «la nave de Combetes».

Partieron como alma que lleva el diablo hacia las afueras, entrando y saliendo de nudos y enlaces de autovías de ronda. Durante el recorrido Vicente Rodríguez, el API, no dejó de hablar ni un instante.

Detuvo el coche frente a un almacén de muy buen aspecto. En la imponente fachada destacaba un gran letrero: «PASCUAL COMBETES. Exportación de Naranjas».

El agente de la propiedad seguía con su verborrea incontenible. Le decía a Luis que la construcción valía más de cincuenta millones. Abrió la puerta más pequeña y le hizo señales para entrar.

A Luis Pons le sorprendió lo bien cuidado que estaba todo; la nave parecía de construcción muy reciente. Rodríguez se extendía explicando que era diáfana, que las licencias de obras y ocupación estaban en regla y que aquel sería el mejor negocio de toda su vida.

El supervisor sacó la *Nikon F-4* y empezó a fotografiar el interior de las instalaciones, intercambiando los angulares.

Mientras Luis hacía las fotografías, Vicente Rodríguez cruzó los brazos como si estuviera todavía en el colegio y no deshizo esta postura cuando Luis Pons le hizo un elogioso comentario de la fachada. Se limitó a balancearse un poco hacia él y asentir con la cabeza.

Cumplimentado el requisito del local comercial, quedaba la entrevista con la gente del Banco.

El empleado fue al Hospital Levantino, entró en el despacho del supervisor y sacó de su enorme cartera unos documentos para la concesión de la hipoteca. Le dijo a Luis que al día siguiente tenían que estar a las doce del mediodía en una notaría de la calle de Las Barcas, especie de *Wall Street* valenciano. El hombre del banco llevaría en su carteraza los catorce millones de pesetas, ya que el vendedor quería cobrar en efectivo. Pagar catorce millones en metálico era la cosa más natural del mundo.

El bancario iba dando información a Luis sobre el contenido de los papeles y dónde tenía que ir firmando. El pensamiento de Luis Pons, mientras tanto, repasaba todo el tinglado que había montado el Negociante.

La hipótesis que iba tomando cuerpo en las cavilaciones de Luis aún era bastante borrosa y con lagunas: Combetes iba a ser embargado por una empresa, pero alguien interrumpió ese proceso al detener la carta certificada, que contenía el exhorto, dirigido a algún Juzgado, que no sería el del Negociante.

El Juzgado no podría embargar una nave industrial que ya no era propiedad de Combetes sino del nuevo comprador, Luis Pons. Toda la información había sido reservada, así que nadie le achacaría a Combetes alzarse con sus bienes en perjuicio de sus acreedores, puesto que antes de la venta no existía reclamación formal alguna.

A Luis le extrañaba la facilidad con la que aquellos hombres realizaban operaciones económicas lucrativas. Las advertencias del Cojo le habían intranquilizado cuando las escuchó, pero en los momentos actuales le parecían alarmistas y volcaba su atención en las explicaciones del Negociante, excesivamente técnicas para él. Sólo se le ensombrecía el panorama cuando recordaba la advertencia de Enrique Sastre: «El alzamiento de bienes tiene pena de prisión de uno a cuatro años y multa».

No sería posible indagar sobre el retraso en el correo —siempre en el caso de que fuese en Correos donde se detuvo el camino del certificado— porque la misma mano que se había encargado de sustraer la carta de la saca la reintegraría más tarde a la de certificados, cuando todo estuviese terminado.

En la Notaría, mientras esperaban la llegada de Pascual Combetes, el Oficial les informó de que aquel mismo día la señora Registradora de la Propiedad inscribiría la venta a nombre del comprador. Todo se iba a desarrollar conforme a lo previsto.

Combetes rondaba los setenta años y se conservaba delgado. Poseía una amplia y brillante calva, orlada de blancos cabellos; la tez morena y toda su figura manifestaban un cuidado aspecto. El saludo del notario fue efusivo y cordial, expresándole su consideración como buen cliente; nadie podía aventurar que se trataba de un ciudadano en bancarrota.

Antes del momento de la firma, el notario, que ya les había leído el documento de compraventa, apuntó ladinamente que se ausentaba «tres minutos». Cuando desapareció el notario, el empleado de banca sacó de su cartera los catorce millones en efectivo; hizo firmar el recibí de esa cantidad a Luis Pons para, acto seguido, entregar aquellos paquetes, con la franja del banco, a Pascual Combetes.

Luis Pons no tocó ni un solo billete.

Poco más tarde el notario volvió al lujoso despacho y terminó su trabajo con las firmas de todos.

Apenas había durado media hora la estancia de Luis en el recinto.

Tomó un taxi y volvió al hospital.

Su mirada a los compañeros de trabajo era otra. Ninguno de ellos podía estar enterado de que Luis acababa de dar un paso importante en su vida.

Quiso imaginar cuál sería la reacción de ellos si estuvieran al tanto de la compra que acababa de escriturar. Las sensaciones que él mismo se inventaba le parecían divertidísimas y notaba que también se estaba operando un cambio importante en su relación con el dinero. No había que hacerle ascos a realizar aquellos negocios, siempre que los riesgos estuviesen perfectamente calculados. Había que aprovechar la agudeza mental para vivir con la mayor facilidad posible y para eso se necesita mucho dinero.

Dos días después acudía a los Jardines de Viveros para una nueva entrevista con el Negociante.

CAPÍTULO 19

En los Jardines de Viveros el Negociante y Luis Pons, como en su encuentro anterior, disfrutaban de la belleza y los aromas de la primavera. Durante los primeros minutos pasearon como de costumbre. Otra constante de sus entrevistas era el ritual que empleaba el Negociante antes de abordar el motivo de su convocatoria con Luis Pons:

—En este mismo lugar conocí a Miguel, el Cojo. Venía con frecuencia a fotografiar bodas. En alguna ocasión, mientras esperaba la llegada de los novios, comenzamos a saludarnos: al principio eran conversaciones superficiales y, paulatinamente, fuimos relacionándonos más a fondo. Sentí mucho lo de su accidente.

Luis se preguntó por qué el Negociante sacaba a colación al Cojo. ¿Sabría lo de su conversación a la salida de Correos?

Cuando Sastre estimó que era el momento adecuado, cambió su tono distendido y afrontó la razón del encuentro:

—Estoy contento con el desarrollo de todas las cosas. Ya está registrada la nave industrial a su nombre. Es como si hubiésemos batido el récord de las compraventas.

—¿Esa celeridad puede resultar sospechosa?

—Hemos evitado que lo sea.

Lo había dicho levantando un dedo, como un profesor que quiere puntualizar sobre aspectos importantes. Después avisó:

—Su próxima misión puede ser un viaje de una semana, más o menos.

Se disculpó porque había comenzado a vibrar su móvil. Sostuvo una breve conversación y le apuntó a Luis, mientras guardaba el diminuto teléfono:

—Les tengo manía a estos aparatos. Cuando hago una llamada, siempre tengo la precaución de preguntar si soy inoportuno.

—¿Malas noticias?

—Al contrario —se detuvo, como buscando el punto donde había dejado la conversación—. Le iba a sugerir, antes de la llamada, que realizase usted un viaje de Pascua o de primavera. A Sicilia; mitad de negocios, mitad de ocio. Es preferible que viaje en avión. Hay vuelos diarios de Valencia a Milán; de Milán a Palermo tiene enlaces muy cómodos. Prepararemos toda la documentación: los billetes de avión, la habitación del hotel y el alquiler de un coche en la isla. Una agencia de viajes de Valencia se encargará de organizarle todo.

—¿Qué tal si me acompaña una chica? Lo digo por la parte de ocio. Tendría que hablar con ella.

—No veo ningún inconveniente. Reforzará una posible coartada y desde luego será mucho mejor para usted. No estará de más ser precavidos. Acuérdese de su experiencia reciente con la llave del coche: hemos de calcular todos los posibles contratiempos y tener previstas soluciones para remediarlos, si se produjeran.

Se detuvieron mirando las *chorisias*, los árboles de la lana, con sus troncos hinchados y revestidos de enormes pinchos. Era curioso observar la afición que se tiene en este país a aclimatar árboles de cualquier parte del mundo y, por otro lado, cargarse los pocos que quedaban «del terreno».

Luis comentó en voz alta:

—En mi pueblo no hay árboles y los pájaros anidan en las grúas de las nuevas construcciones.

—Parece algo extraño o terrible. A usted le gustan las flores y los árboles.

—Tal vez por mi origen rural.

Estas divagaciones las permitía el Negociante como preludio de alguna importante noticia. Con cierto tono trascendente, anunció a Luis:

—La llamada era para confirmarme que hay una oferta para comprarnos la nave, *su* nave. Es una ocasión tentadora que nos hace la empresa italiana de esmaltes.

La compañía que iba a alquilar la nave había decidido comprarla para gastar *dinero B*. Tenían la sede en Sicilia y por eso el negociante quería que Luis fuera a la isla. Debía seleccionar las fotografías del local que le parecieran mejores. La escritura y el resto de la documentación se la proporcionaría el Negociante.

—¿Cuál será el precio?

—El oficial, el que quieren escriturar, veinticuatro millones. Y quince millones más en *negro*.

Siguió exponiendo que con los veinticuatro millones cancelaría la hipoteca que le había hecho el Banco —que tenía gasto de cancelación cero— y Luis se quedaría con más de nueve millones netos, una vez pagados los gastos de escritura. Esa ganancia y la del coche eran dinero blanquísimo. El resto del dinero, *el dinero B*, sería «para los demás», entre los que se encontraba el Negociante.

En aquel momento Luis Pons, mientras por un oído escuchaba atento al Negociante, a la vez le daba vueltas a la manera de plantearle a Adela que lo acompañase en el viaje a Sicilia.

El secretario de juzgado seguía exponiendo los últimos detalles:

—La empresa compradora quiere establecerse en la zona azulejera de la Comunidad Valenciana. La Central italiana la tienen cerca de Catania, en Sicilia.

Estaban ultimando los detalles para que Luis se entrevistase con ellos en un lugar «neutral», un sitio algo alejado de las instalaciones de los compradores. La nave ya la conocían dos de los empleados italianos, pero Pons llevaría fotografías a los directivos y su escritura notarial, para que la pudieran estudiar sus abogados italianos.

Durante la mañana siguiente el supervisor seguía cavilando sobre el planteamiento que emplearía para pedirle a Adela, sin levantar sospechas, que viajara con él.

Una llamada del Negociante lo sacó de sus reflexiones.

—Confío en que no haya tenido problemas con las fechas del viaje. Será la semana anterior a Pascua y usted es el *amo* ahí.

—Es verdad. Todas las enfermeras tienen niños y prefieren que sus vacaciones coincidan con las de sus hijos. En mi trabajo no habrá complicaciones de ninguna clase.

—¿Le ha hablado a la chica?

—No lo demoraré más. Enseguida lo voy a hacer.

Cuando el Negociante colgó, sin soltar el auricular, Luis marcó el número de Adela.

—Tenemos que vernos. Quiero hacerte una propuesta.

—Un viaje.

—¿Cómo lo sabes? ¡A Sicilia! Siete días. En avión.

—Si no tengo pela.

—Te invito. Tengo que hacerle un favor a un buen amigo farmacéutico que, a cambio, nos paga el viaje. Ya está todo preparado en la agencia.

—¿Para viajar necesitas una agencia? Si lo haces por Internet te saldrá más barato.

—Pero es peor. Adela, preciosa, tienes que decidirte ahora mismo.

—¿Cuándo va a ser?

—La semana próxima. Antes de Pascua.

—Sicilia es uno de los sitios que más me atraen, de toda la vida. Se decía que en Sicilia moraban los dioses griegos. No me lo puedo creer: Palermo, Taormina, Siracusa, y ¡el Etna!

—Chica, sabes *cantidad*. Oye, nos veremos a las cinco donde te parezca y lo dejamos organizado.

—Cuando veo las películas italianas que se desarrollan en Sicilia se me eriza la piel. Me gustó mucho *El Padrino*, a pesar de que me resulta violenta. ¡Pero se le puede perdonar por la música de Nino Rota!

«Me la llevaré», añadió emocionada.

Quedaron en un bar del casco antiguo.

En El Negrito, Adela esperaba la llegada de Luis. Cuando lo vio en la entrada con un aire despistado, se levantó de la mesa, fue a su encuentro y le dio un suave beso en los labios.

—¡La semana que viene! Como quien dice, ya. Es genial. ¿Y por qué tengo que decidirme esta tarde?

—Por lo de la habitación.

Adela sonrió con picardía.

—Hombre. Cuando he hecho un viaje de éstos, hemos tenido sólo una habitación.

—Es que yo no he hecho viajes *de éstos*.

—Conmigo desde luego no. Me acordaría.

Sus ojos verdes rieron traviesos.

—Estás muy guapa. No sabes lo feliz que me siento. No me puedo creer que vengas. Todavía no me hago a la idea.

—¡Me hace muchísima ilusión! Me sabe mal por el dinero. Te va a costar un pastón.

—Es una historia… de un amigo y me lo ha propuesto para que le haga un encargo la semana que viene. Ya te lo contaré con detalle. Tenemos que ir a Milán y de allí a Palermo.

—Eso no me importa, Luis. Lo interesante es qué haremos allí.

—Vamos a visitar todo lo que queramos. En la oferta se nos incluye un coche, con aire acondicionado, para que nos desplacemos por toda la isla a nuestro aire.

—*Acondicionado...*

Rieron con tantas ganas que llamaron la atención de buena parte de los clientes del bar.

CAPÍTULO 20

Llegaron a Sicilia antes del atardecer. En las instalaciones del aeropuerto recogieron el coche que tenían contratado. Un joven empleado de la empresa de alquiler realizó la «tasación de daños», que era previa a la entrega del coche. Consistía —como el operario siciliano les explicó— en reseñar en un impreso de contrato «los daños que ya tiene el coche» en el momento de hacerse cargo de él al inicio del alquiler...

En el papel del contrato, sobre el dibujo esquemático de un vehículo, anotó cuatro cruces en los sitios donde —según su apreciación— el coche tenia abolladuras o roces.

—¿Cuatro? *¡Infiniti!* —exclamó Luis, divertido.

El tipo se justificaba diciendo que los extranjeros «conducían fatal».

Desde el *albergo* de Terrasini tenían proyectado trasladarse a todos los puntos de la isla que les interesasen.

Adela Portolés impuso un programa intenso para no perderse ninguno de los numerosos sitios de Sicilia que le interesaban y el día dedicado a Palermo fue agotador.

La chica se complacía intensamente con el paisaje, los monumentos y —sobre todo— con «el personal», como ella calificaba a los sicilianos.

Reprochaba a Luis que fotografiase todo con su máquina digital, sin disfrutarlo como ella; y le señalaba una divertida escena de dos jóvenes en una moto por la concurrida calle de Vittorio Emanuelle; el muchacho que iba en el asiento de atrás tiraba de la rienda de un caballo, que los seguía al trote.

Luis argumentaba que a él le resultaba dos veces placentero: con la mirada del fotógrafo y los ojos del turista curioso.

En pleno bullicio del mercado *La Vucciría*, Luis encontró una escena «antológica»: un tenderete de verduras y frutas, muy colorista, con los productos minuciosamente colocados; en el centro del puesto, entre dos banastas, estaba dormitando plácidamente el dueño. Luis Pons no quería despertarle con el «clic» del pulsador, por lo que puso el objetivo en gran angular. Después accionó el disparador retardado, mientras miraba con fingido interés un plano de Palermo que llevaba en la mano, procurando que la *Sony* no se moviera demasiado delante de su estómago. Apenas se había cerrado el diafragma cuando se despertó el frutero y comenzó a canturrear la bondad de sus productos, sin percatarse de que había sido fotografiado.

Adela no podía contener la risa ante la infantil reacción del dependiente. Cuando salieron del lugar, estuvieron un rato mirando en la cámara digital la foto que había sacado.

El doble deleite parecía duplicar su cansancio; al atardecer, Luis se dedicó a elegir entre las hermosas terrazas-restaurante de la Plaza de San Cataldo para cenar.

Adela procuraba alargar la jornada turística, mostrando una insaciable curiosidad por ver y situar todo histórica y culturalmente. Al final, se dejó llevar hacia las propuestas gastronómicas de Luis: probar los fresquísimos salmonetes de roca, con vino *Luna di luna*.

Hacía calor y la terraza era un recurso adecuado para combatirlo.

Tampoco olvidaron los insuperables helados.

El cuarto día, por la noche, sonó el móvil de Luis. Era el Negociante, que estaba en un hotel de Catania.

Luis Pons creyó percibir que esa visita era una forma de controlarlos, pues no estaba prevista. Como si no le importase la vigilancia del Negociante, sugirió pasar a recogerle a Catania, la tarde siguiente, y acudir juntos a la entrevista con los compradores italianos.

Luis y Adela madrugaron, para poder ver Taormina.

Durante el viaje, Adela parecía tomarse esas vacaciones como un ejercicio práctico de su carrera:

—*Fiume*, río. Claro: del latín, *flumen*.

Luis creyó conveniente exponerle a su compañera en qué consistía el favor que le hacía al farmacéutico y que, teóricamente, era el objetivo del viaje.

Comenzó relatando que el amigo boticario conocía su afición a la fotografía y que le había pedido hacer fotos de una nave industrial que quería vender. «Yo hago las fotos; se las entrego y él me comenta que estaba preocupadísimo porque tenía que enseñárselas a los compradores, en Italia. Como sufre una insalvable fobia a los aviones, aprovecho un poquito la ocasión –¿quién pescara una oportunidad así?– y el tío se lanza a proponerme que haga el viaje en su lugar. Le digo que mis vacaciones las quería pasar con mi novia y va y me dice: Pues a ella también le pago el viaje».

Luis Pons pensaba que básicamente le había dicho a Adela el verdadero motivo del viaje, pero con la variación fundamental de que el propietario de la nave —y quien «financiaba» las vacaciones— era él mismo.

Al atardecer, desde Taormina se dirigieron a Catania, hasta el hotel de Enrique Sastre. Luis entró en el hotel y propuso al Negociante que lo presentaría a todos como el secretario que tenía que formalizar la venta.

Los tres fueron hacia San Giovanni La Punta, la localidad donde tendría lugar el encuentro con los compradores: el «Villa Paradiso del'Etna», un delicioso hotelito.

A la hora convenida, Sastre y Luis Pons se entrevistaron con los italianos. Les mostraron las fotografías y toda la documentación que había llevado Luis, ampliándoles la información con un chapurreado italiano y castellano.

Desde el primer instante mostraron mucho interés por la operación, explicando que para ellos suponía un buen negocio la compra de la nave. Si fuera por ellos, legalizarían la transacción cuanto antes. Tuvieron que convencerlos pacientemente para que aguardasen al regreso, la próxima semana, y entonces formalizarían la venta en España. Sicilia valía la pena.

En un momento de la entrevista, el *direttore* de la Empresa asió del antebrazo a Luis Pons y le susurró al oído:

—Quiero *que laborar* para mí.

—En cierto modo ya lo estoy haciendo —respondió el enfermero.

El empresario le aseguró que su propuesta era «seria». Adelantó una oferta muy interesante para trabajar con ellos en la *fabbrica* de España.

Luis se sentía violento porque el Negociante estaba cerca de ellos; prometió que lo meditaría con la misma «seriedad» y que en el próximo encuentro en Valencia le daría una respuesta.

Cuando dieron por finalizada la entrevista, el director concertó con los responsables del hotel que preparasen una cena de celebración para todos. Deseaba que la comida fuese lucida y el *maître* le aconsejó el restaurante *La Pigna* —en la terraza del mismo hotel— con el Etna al fondo.

Luis dejó al Negociante hablando con los italianos y fue a buscar a Adela. La chica llevaba su mejor vestido, se había maquillado un poco y mostraba una sonrisa sensual.

Luis Pons se sentó a la derecha del *direttore*; el Negociante lo hizo junto a Adela y pareció ejercer de *latin lover* con ella durante buena parte de la cena. Resultaba curioso el trajín del director de la empresa, prestando atención al descarado cortejo de Sastre, sin olvidarse de disfrutar la comida y la bebida y encauzando la conversación como seguramente lo hacía en su propia casa.

Especialmente jocosas le resultaban las furtivas miradas de Luis a Adela. Al final de la cena, los italianos se despidieron. El Negociante se marchó con ellos hacia su hotel en Catania. Le deseó a la pareja un buen final de sus vacaciones.

En la habitación, Adela contó a Luis que Enrique Sastre había estado durante toda la comida coqueteando con ella y especulando sobre si sabía «los motivos reales» de este viaje.

Luis se inquietó y Adela pareció interpretar su reacción de forma muy divertida por los «exagerados celos» de su pareja.

—No seas bobito. Me estaba riendo de él y le solté que claro que estaba al corriente de los motivos. ¡Si hasta te había empujado a venir!

Luis estaba alarmándose y quiso que Adela le contara toda la conversación.

—Es un pesado y un repelente. Empezó a enrollarse con cosas de juzgados. Cuando estaba verdaderamente plasta, le dije que todo lo que se refiere a las leyes y a los abogados me resultaba un plomo —Adela se rió con ganas—. Mi estratagema funcionó como el ungüento amarillo: dejó de picarme con chorradas.

A la mañana siguiente, subieron al comedor para desayunar. El local estaba vacío a esa hora y, como la mañana estaba despejada, pudieron disfrutar plenamente del Etna. Luis fotografiaba sin parar.

Para seguir haciéndolo, le pidió a Adela que condujese ella hacia la cumbre. Una vez allí admiraron detenidamente los circos de explosión.

En la bajada, Luis dejó descansar la máquina y señalaba a Adela el cambiante territorio volcánico, las zonas de lavas, las feraces tierras de castaños, pinos y abedules.

—Oye, que no se debe llamar tanto la atención de la conductora.

—Sí, perdona. Aminora un poco y fíjate en los pequeños pueblos de naranjales. Se parecen mucho a la zona de naranjos valenciana.

Estaban dichosos.

Adela recordó la música que Nino Rota había compuesto para «El Padrino» y, desoyendo sus propios consejos para no distraerse, buscó la cinta y la puso en el cassette.

—Este pasaje, que Nino Rota tituló *Pastoral Siciliana,* y el que le sigue, *Apollonia,* me gustan especialmente.

—Son descriptivos.

—Es verdad, Luis. No lo había pensado hasta que no los hemos oído sobre el terreno.

—El acordeón eriza la piel.

—Y los violines. ¡Me encantan los violines!

Tomó la cara de Luis y le estampó un sonoro beso en los labios.

Todo estaba resultando deliciosamente bello. Pero la felicidad es una línea sutil que se puede borrar fácilmente.

CAPÍTULO 21

Aquella tarde, Adela Portolés pidió que Luis se lo explicase todo.

El enfermero había salido a pasear por la orilla del mar, en Terrasini, dejando a Adela adormecida, en la cama. Al levantarse, comenzó a poner un poco de orden en la habitación y preparar las maletas para el viaje del día siguiente.

Cuando estaba colocando los sobres de fotografías y los documentos de la nave, le llamó la atención la escritura con el nombre de Luis en la portada. Ese descubrimiento ejerció una atracción especial sobre Adela. Se detuvo a leer detenidamente el documento legal, en el que se consignaba la entrega de catorce millones como pago de la nave escriturada, que pasaba a propiedad del hombre que esos días compartía habitación con ella.

—Me has dicho, todas las veces que hemos hablado del tema, que la nave era de un amigo farmacéutico y aquí —apuntaba al documento notarial— se registra claramente que es tuya. No te imaginaba dueño de un local de catorce millones; un local industrial.

—El banco me ha hecho una hipoteca por esos millones. Yo no tenía el dinero.

Se estaba dando cuenta de la frustración de Adela, que intuía algo oculto detrás de aquella operación.

—Es una historia larga y un poco complicada de explicar. Tuve miedo de que si te era totalmente sincero tal vez no lo entenderías. Te conté una versión más breve, o más literaria, porque lo que más deseaba era que vinieras a este viaje. Lo sabes muy bien.

El enfado de Adela iba en aumento a medida que escuchaba las atropelladas explicaciones de él. Luis se daba cuenta de que la mejor salida para recuperar credibilidad era decir la verdad, para que el disgusto no alcanzase dimensiones mayores.

—Mira, te contaré todo lo sucedido, aunque sea con una semana de retraso. Si te parece, salimos a la playa y te lo explico, con pelos y señales.

Le pareció bien la sugerencia. Estaba muy tensa. La primera constatación la tuvo Luis al salir del ascensor del *albergo*. Le cedió el paso, como siempre, aunque ahora su respuesta no fue la dulce sonrisa de otras veces, sino un gesto serio y concentrado.

Luis Pons se dijo que por vez primera había notado a Adela distante.

Cuando llegaron a la orilla, el mar ya no centelleaba; con actitud algo teatral que aumentó el desconcierto de Luis, ella lo invitó a iniciar la prometida explicación.

—Hace unas semanas un médico de mi hospital me recomendó un negocio que no revestía ninguna complicación y podía reportar mucho beneficio. Este doctor poseía información privilegiada —creo que a través de otro secretario de juzgado, distinto de Enrique Sastre—, que le permitiría adquirir una nave industrial antes de que el juzgado ejecutase la orden de embargo que se iba a dictar. Mi papel se reducía a figurar como comprador temporal del local, aceptar la hipoteca que tenían tramitada y posteriormente alquilarla a una multinacional, esta gente de Catania, que después ha decidido comprarla.

Luis Pons empezó a caminar entre lo real y lo que podía ser creíble.

—El médico del que te hablo gana mucho dinero y no quiere figurar en operaciones de compraventa como ésta, porque Hacienda lo descalabraría. Así que acudió a mí, que estoy necesitado y no supe negarme; ni quise negarme en ese momento, qué quieres que te diga.

Fue pormenorizando cada uno de los pasos, prácticamente como habían tenido lugar. De vez en cuando, Adela le miraba cejijunta, incrédula. Otras veces parecía mostrarse menos arisca. Luis terminó:

—Naturalmente los beneficios los repartiremos entre los del juzgado, que no sé quienes son, el médico y yo.

Una mujer con un albornoz color lila pasó junto a ellos, examinándolos.

—A mí me supondrá unos diez millones, menos los gastos de este viaje y otras cosillas. Necesito ese dinero porque tengo a mi cargo muchas obligaciones, entre ellas la residencia de mi madre; ya hemos hablado de eso... ¡Se necesita dinero!

Adela le interrumpió, furiosa:

—El fin no justifica los medios. Creo que sabes que, por eso mismo, tu acción no es legal.

—Legal-legal no lo es, pero transacciones así se hacen a diario entre las constructoras, los políticos...

—Como De la Rosa, Gil o Conde —lo decía entre exagerados aspavientos—.

Estaba furiosa. No podía justificarlo y se lo expuso:

—Luis, me cuesta creer que te hayas prestado a una cosa así.

—Te juro que es la primera vez que hago un negocio de este tipo. Se han tomado toda clase de garantías, me sentía blindado y no se me iba a poder imputar nada jamás. Aunque moralmente reconozco que puede ser...

—Claro que lo es.

Alargó mucho «lo es».

—Sé como te sientes, Adela.

No sabía qué decirle a la muchacha. Estaba perdidamente enamorado. Su fascinación por la chica aumentaba cada día y se sentía el ser más feliz del mundo cuando se despertaba a su lado. Quería decirle esas cosas con mucho cariño y que ella le diera un margen de confianza.

Por todo lo que sentía, si Adela hubiese creído su mentira, Luis se habría considerado justificado.

—Luis, espero que ahora no me largues que tal vez hay millones de personas dispuestas a hacer lo mismo —se detuvo, levantó un poco las manos abiertas—. No se sabe cómo uno se va metiendo poco a poco en un lío; como tú dices a veces, «en un jardín».

La chica miró a Luis y percibió claramente el calvario que estaba pasando. Lo cogió por los antebrazos:

—Estas cosas son siempre el principio, Luis. En el futuro no podrás rechazar una segunda oferta de ésas. Te irás metiendo en pequeños *jardines*. Este paso que has dado es muy importante y no tiene escapatoria.

Se apartó a un lado de él y siguieron caminando despacio, en silencio.

—¿Y, si puede saberse, qué pinta en todo esto el capullo asqueroso de la otra noche?

Luis tardó un momento en darse cuenta de que hablaba del Negociante. Respondió con lo mejor que se le ocurrió:

—No lo sé. Habrá venido por encargo del secretario de juzgado que provocó la venta.

Adela se revolvió furiosa:

—Pues resulta que saqué la lengua a pasear: le dije a ese tipo que yo sabía el verdadero motivo de nuestro viaje y que te había empujado a realizarlo. ¡Qué rabia me da!

Continuaron caminando por la orilla. El paso de Luis era más vacilante y se quedaba algo rezagado.

Un rato después, Adela se detuvo y esperó que Luis se pusiera a su altura. Se recogió el pelo que el viento había puesto delante de sus ojos, posó la otra mano suavemente sobre el brazo de Luis y mirándole fijamente le dijo unas palabras que él no olvidaría:

—No quiero pensar en lo que supone haberme implicado en este fregado, por lo que le dije a ese individuo, Enrique Sastre. Lo más doloroso es que no podré seguir contigo porque rechazo de plano tu actuación. Algo feo se ha interpuesto entre nosotros y nada puede ser como hasta ahora.

Las sombras empezaron a rodearlos. Luis se daba cuenta de que las dificultades se le hacían más grandes cuando ella estaba callada.

La cara de Adela no tenía expresión cuando le advirtió:

—No te voy a hacer pasar el mal trago de pedir otra habitación —percibió el sobresalto de Luis—. Después de estas cosas ya no puedo tener la misma relación contigo.

—Por favor, Adela. Puedo dormir en los sillones por una noche. Prefiero mil veces eso a alojarme en otra habitación, si no te importa.

Como había advertido Adela, a partir de ese momento todo cambió entre ellos. Se acabaron los gestos cariñosos y el trato dulce. Se hizo patente la diferencia cuando eligieron la mesa para desayunar y posteriormente cuando decidieron quién conduciría el coche hasta el *aeroporto*. Antes, las conversaciones eran tan fluidas que en ocasiones hablaban los dos a la vez, sin que aquello supusiera ningún problema; a partir de ahora, los ahogarían interminables silencios.

Luis trataba de mantener pequeñas esperanzas. Una era encontrar un momento adecuado para tratar de convencer a Adela. Ella estaba inaccesible emocionalmente. La relación afectiva había funcionado muy bien hasta el instante en que ella descubrió la escritura notarial. Poco a poco tendría que hacerse a la idea de que su amistad estaba rota. Adela no iba a facilitar las cosas.

En el avión, durante el regreso, entreveía que las cosas podrían cambiar una vez que llegaran a Valencia. No era más que una huida, una manera de salir del difícil momento que vivían, pero Luis se aferraba a esa esperanza.

Eran preocupaciones que le abrumaban; durante los largos silencios, en los que trataba de imaginar su futuro sin Adela, sentía que su vida había llegado a un punto muerto.

CAPÍTULO 22

El empleado del servicio de basuras empujó el contenedor y lo sacó del espacio reservado para aparcar coches en el polígono Industrial. Cuando lo tuvo en el centro de la calzada, le quitó la tapa, esperó a que el vehículo llegara a su altura y lo situó detrás del camión para que los brazos de la maquinaria procedieran al vertido.

Un ruido inusual de la pala prensadora llamó su atención y la del conductor, que bajó del vehículo con agilidad. En el momento que pisaba el asfalto el chófer, se normalizó la función del prensador.

—Seguro que ha sido otro mueble de oficina. O algún trozo de metacrilato de la fábrica de plásticos.

—No sé. No parecían ruidos de madera o de plástico duro. Cuando descargue, me fijaré.

Ofreció a los dos operarios de la empresa un cigarrillo, que aceptaron sin quitarse los enormes guantes. Subió a la cabina y reanudó el trabajo. Sus dos compañeros iban emplazados en pequeñas plataformas situadas en la trasera del camión y se agarraban a los asideros laterales de la pala prensadora.

Unas horas más tarde el camión de recogida tomó la curva de la carretera vecinal, entre naranjos con mucho polvo en las hojas, camino del depósito de descargas. Estaba clareando cuando el conductor se dispuso a vaciar los residuos. No lo iba a hacer junto a la montaña de basura, como siempre le pedía el capataz. Antes bien tenía la intención de maniobrar el vehículo durante la descarga, para que se extendiera la basura y de esta manera poder comprobar si los del Polígono habían dejado trozos de plástico duro, como ya habían hecho en alguna ocasión, o se trataba de otra cosa.

Sacó una barra de hierro para ayudarse a escarbar entre el amplio reguero de bolsas que había dejado. Un bulto extraño llamó su atención y, en torno a él, apartó lo mejor que pudo restos de un cuerpo humano, con las marcas que habían dejado las palas del camión. Encontró la cabeza, que apenas sufrió la agresión de la pala prensadora; había quedado separada del cuerpo y, por la calvicie casi total, dedujo que se trataba de un hombre, a falta de otras comprobaciones que ya no quiso hacer.

Desde la cabina del camión telefoneó para que avisaran a la policía. Conteniendo la náusea, marchó hacia los pabellones en busca de otros operarios —que ya hubieran terminado su trabajo— para informarles del hallazgo.

El sol estaba casi en la vertical cuando la juez Clara Soldevilla se mantuvo a prudente distancia del forense y esperó a que el médico terminase su somera inspección. Cambiaron impresiones sobre la conveniencia de buscar huellas y tomar los datos habituales. Acordaron terminar los trámites formales y recoger los despojos humanos;

el forense ordenó que los trasladasen al patio y que introdujeran con sumo cuidado los restos en el saco sudario.

Poco después uno de los policías locales informó a *la juez* —eso de «la jueza» no le sonaba bien— de que sus instrucciones se habían cumplido y que si no le parecía mal taparía la cabeza del desdichado hombre con un pañuelo.

—Había dicho que no cerrasen la cremallera del saco para facilitar la identificación —trató de aclararle Clara Soldevilla—. Pero tápelo, si quiere; a mí me parece bien.

Un vehículo policial con la sirena activada se detuvo cerca de los pabellones. La juez hizo una seña al agente municipal, que se encaminó hacia el coche del que salían dos agentes con uniforme del Cuerpo Nacional de Policía. De una puerta trasera del vehículo descendió un hombre vestido con un impecable pantalón gris y elegante cazadora. Escuchó las palabras del municipal y ambos marcharon hacia donde se encontraba la juez. Al llegar a su altura, el agente le dijo a la mujer, señalando al hombre que iba con él:

—Policía Judicial.

El comisario estrechó cálidamente con sus dos manos la que le tendía la mujer, diciéndole:

—Señoría. Ya tengo un buen destino.

—¡Justo!. Es verdad, me avisó Enrique Sastre que te habían asignado a mi Juzgado.

—Y a otros, Clara, al 35 y a otros más.

La juez le informó que estaban esperando a una persona, que seguramente podría identificar el cadáver. Únicamente había una denuncia por desaparición y parecía que se trataba de aquel hombre. La tarde anterior había salido a dar un paseo con el perro, como todas las tardes, y no volvieron; sus familiares se alarmaron.

—Sí, estoy al corriente. Me temo que es el mismo que tenéis aquí, aunque el domicilio del desaparecido está muy distante del Polígono Industrial. Para que todo case, la secuencia habrá sido algo así: primero lo *despachan*, después lo trasladan al Polígono y allí lo tiran al contenedor, evitándose testigos.

—Es horrible cómo ha quedado. Nunca me había tocado una cosa tan fea. Tú estarás más acostumbrado.

Guardaron silencio.

El policía uniformado se apartó de ellos, para poder fumar. La juez aprovechó esa circunstancia para acercarse más al comisario, querenciosa:

—Me gusta mucho ese actor americano tan interesante, George Clooney. Siempre me lo has recordado.

—Constantemente tengo que oírme lo del parecido. ¡Y mi mujer no se pierde ninguna película de ese tío!

—¿Tú no vas a verlas?

—Raras veces. Como actor, no me dice nada especial. En «O Brother», sí; precisamente porque hace un papel un poco ganso.

—Pienso seguir viendo todas sus películas para acordarme de ti. Al «natural» te haces de rogar.

Un policía los avisó de la llegada de Mariló Combetes. Fueron a su encuentro y comenzaron a prevenirla sobre el mal trago que le esperaba. La mujer mostró su mejor disposición y se encaminaron hacia las construcciones donde estaban los restos. El policía local apartó el pañuelo que cubría la cabeza del muerto.

—Es papá.

La acompañaron hasta uno de los coches. Clara Soldevilla le ofreció un tranquilizante. Mariló lo rehusó; se sentó en el lateral del asiento del conductor con la puerta abierta y los pies en tierra. Sacó de su bolso el paquete de tabaco y encendió un cigarrillo con gesto tembloroso.

Como echando fuera lo que le pasaba por la cabeza, comenzó:

—Cuando anoche no volvieron a casa papá y el perro, temí que habría pasado algo malo, pero no una cosa tan sórdida.

El esfuerzo por hablar le hizo asomar lágrimas, pero continuó sin sacudidas ni llanto:

—Hace unos días nos comentó que le habían visitado dos hombres; le dijeron que eran colombianos y le exigieron no sé cuántos millones. Mi padre había cobrado hacía muy poco la venta de un almacén.

—¿Querían robarle? —preguntó la juez Soldevilla.

—Buscaban el dinero, desde luego; papá vendió esa propiedad porque le abrumaban algunos acreedores. La venta del local la cobró en efectivo y ese dinero era el que los tipos aquellos querían obtener.

—Soy comisario, de la Policía Judicial. Tengo que hacerle una pregunta personal —cuando Mariló accedió con la cabeza, Justo Boyero continuó—. ¿Vive con sus padres?

—Vivo con mi pareja, pero todas las noches cenamos en la calle Colón, en casa de los papás.

El comisario pareció darse por satisfecho con la respuesta de la mujer, que cogió otro cigarrillo del paquete. Boyero sacó un encendedor y se lo ofreció.

—Gracias. Mi madre le dirá mejor que yo lo de las amenazas, porque papá se lo contaba todo a ella. Me cuesta creer que alguien pueda hacer esas cosas por dinero.

Mariló Combetes movía su cabeza, como queriendo apartar todo el horror que le producía lo que sus ojos acababan de comprobar.

El comisario Boyero le susurró:

—Le prometo que los vamos a encontrar —siguió en otro tono, que pretendía ser normal—. Ahora, le ruego que me permita acompañarla a su casa. Cuanto antes hablemos con su madre, más pronto podremos iniciar la investigación.

El coche policial se puso en marcha. Al entrar en Valencia, Boyero no prestó atención a los singulares edificios del arquitecto Santiago Calatrava en la Ciudad de las Ciencias. Un creciente malhumor se apoderó de él cuando, al llegar el coche a la calle Colón, se apercibió de que ya había un grupo de curiosos —a los que trataban de controlar los policías municipales—, agolpados en la puerta de la vivienda de la familia Combetes. Era lamentable la difusión que tenían las noticias macabras.

Mientras subían hasta el ático, Mariló explicó a Boyero que una psicóloga había estado con su madre durante las últimas angustiosas horas. La joven sacó su llave y abrió la puerta, haciéndose a un lado para que pasara el policía judicial. La mujer se acercó a su madre y se abrazó a ella durante largo rato. Boyero notaba una entereza especial en las sollozantes mujeres y dedujo que la muerte de Pascual Combetes les había producido gran dolor, aunque en la noche anterior una psicóloga las preparara para afrontar lo peor.

El ático era un exponente del poder económico de la familia, pensó Boyero mientras se apartaba un poco de las dos mujeres. Curioseó entre los estantes de libros y se detuvo ante los cuadros de Pinazo y Segrelles. Otra pintura, de tamaño más grande, «El nacimiento de Apolo», jugaba con el dios griego y el cohete espacial americano, empleando el característico colorido del Equipo Realidad.

Salió un instante a la amplia terraza-jardín y se detuvo ante una gran caseta de madera, que debía de ser la del perro.

Regresó a la vivienda y escuchó a Mariló, que en aquel momento relataba a su madre todo el horror que le produjo el momento de identificar a su padre.

María Bordonado —viuda de Combetes—, sin soltarse de su hija, se acercó a Boyero.

—Le suplico que mantenga lejos de nosotras a los de la televisión. No me importa estar con usted todo el tiempo que haga falta, pero a esa gente no la resisto.

El comisario le prometió que no la mortificarían.

—Sin embargo no puedo asegurarle que yo mismo no la moleste. Es fundamental que me proporcione información lo más rápidamente posible. Ha de contarme todo, por muy trivial que parezca.

—Comprendo lo difícil que es su tarea y puede estar seguro de que voy a colaborar.

Boyero se lo agradeció con un gesto. Añadió, serio:

—Cuanto antes nos metamos en la investigación, mejor. Le pido que me cuente con detalle lo sucedido en los últimos días.

María Bordonado miró al comisario como si saliera de un sueño. Boyero se quedó esperando pacientemente.

La esposa de Pascual Combetes hizo gestos con la cabeza varias veces. Miró a su hija y luego al comisario:

—Últimamente mi marido no conseguía redondear ningún negocio en la exportación de naranjas y nuestras inversiones en bolsa marchaban muy mal. Estaba desasosegado y no quería acudir a los bancos para atender las nóminas de los empleados y los pagos más urgentes. Decidió deshacerse de parte de nuestro patrimonio y pagar sus deudas. Hace unas semanas vendió un almacén aquí, en Valencia, para atender a los acreedores más necesitados. Esto debe quedar muy claro: lo que sacó de la venta era para pagar deudas.

Mientras la viuda tomaba aliento, Boyero le prestó ayuda:

—Su hija me ha dicho que cobró en metálico.

—Últimamente no quería colaborar con los bancos.

Intervino Mariló, acariciando la mano de su madre.

—Mamá, no es que no le gustase trabajar con los bancos. Tenía descubiertos y, si hubiera ingresado efectivo, no le habrían dejado disponer ni de una peseta.

—Así era, efectivamente. Tenía que jugar mucho con «los dineros».

Boyero pensó que María Bordonado era una mujer valiente y Pascual Combetes habría hecho confidencias a su esposa de los muchos asuntos que llevaba entre manos. Esperaría a que las cosas fueran desgranándose, que salieran poco a poco.

—Hace unos días lo visitaron unos facinerosos —dijo la señora Combetes.

El comisario no había oído lo de «facinerosos» desde su época de lector de tebeos.

—Señora, debe decirme todo lo que le haya dicho su marido sobre esos individuos: cómo eran, quién los enviaba. Todo.

—Fueron dos.

Boyero —sentado con la pierna izquierda sobre la otra— mantuvo el gesto con la paciencia que requerían situaciones así.

—Pascual me contó que los hombres entraron en su despacho y le exigieron el pago de diez millones de pesetas; había cobrado unos días antes catorce millones, por la venta de la nave. Esos energúmenos dijeron que eran colombianos: hacían el trabajo para una empresa de cobros y no podían perder el tiempo. Le exigieron el dinero para antes de una semana.

Boyero quería indagar cómo podían saber los colombianos que Combetes había cobrado catorce millones.

—¿No le sacarían a su esposo lo que ganó con el local?— preguntó.

La señora tomó el pequeño crucifijo de oro que le colgaba del cuello:

—A Pascual le metieron un miedo muy grande.

Besó lentamente el crucifijo y parte de la cadenita:

—Todas las noches, desde que le visitaron, rezábamos en la cama. Hasta estos últimos días no recuerdo haberle visto antes tomarse pastillas o tranquilizantes. Nos agobiaban cada día un poco más. Unas veces hacían cosas para apremiarnos: llenaron de silicona las cerraduras de la oficina de Valencia; nos amenazaban constantemente, sin descanso, por teléfono. ¿Por qué hicieron eso, Dios mío?

—¿Y por qué no lo denunciaron?— preguntó Boyero.

La viuda miró a su hija; se mordió el labio inferior. Negando con la cabeza, intentaba apartar el dolor que sentía:

—Aquellos hombres sabían dónde vivía la niña —señaló a Mariló— y conocían todos sus pasos; así que decidimos pagarles. Mi marido les pidió el dinero a los hermanos Alcina, unos conocidos nuestros fabricantes de plásticos que nadan en la abundancia. Como se llevaban bien, le aseguraron al pobre que se lo darían. No tuvo tiempo.

Las últimas palabras las pronunció con altivez, como queriendo expresar a Boyero que su concepto de la seriedad y de la formalidad estaba por encima de cualquier negocio, que no debía quedar duda alguna en ese sentido.

—Si les íbamos a dar lo que le pedían, ¿por qué le hicieron eso? Dígamelo —le dirigió la pregunta al comisario.

—Señora, estamos refiriéndonos a sicarios. Usted lleva una vida totalmente distinta, tiene valores éticos y sociales. Ellos emplean sus propios códigos y sus pautas de comportamiento o como se llamen las salvajadas que hacen. Esta gente es lo peor del ser humano; además de cobrar, quieren dar «ejemplo». La difusión que va a tener este caso dará alas a estos matones. Es un asunto lóbrego. A su marido lo raptaron en las cercanías de esta casa y lo mataron. Desnudarlo fue un gesto innecesario que responde al deseo de los asesinos de singularizarse. Como un aviso para navegantes: «Os puede suceder lo mismo que a Combetes».

—Parece cosa de la mafia —intervino la joven.

—No es exactamente igual, pero tiene similitudes.

—¿Qué diferencia hay? —le preguntó Mariló.

—Pues la falta de dolor. Su padre murió de un tiro en la nuca. No sufrió.

Boyero se detuvo. Era un gesto poco espontáneo, una de sus «pausas valorativas». Pretendía estudiar la reacción de las mujeres y considerar si las explicaciones que les estaba dando resultaban dolorosas para ellas. Se reafirmó en su habitual teoría de que era conveniente hablar de los dramas con las personas afectadas.

No pudo evitar algunas divagaciones de su pensamiento. La mafia, cuando ajusta cuentas, imprime espanto al elegir la forma de matar. Vinieron a su cabeza relatos de policías: subían al «sentenciado» a un barco y se hacían a la mar. Tenían en una silla al desdichado y le ponían los pies dentro de un recipiente, que contenía cemento recién hecho. Era indescriptible el terror del reo cuando sentía cómo fraguaba y se secaba la pasta, hasta hacerse un pesado bloque. El «condenado» ya tenía la certeza de que sería arrojado vivo al mar y de que lo tirarían sus propios compañeros. Nadie se iba a atrever a darle un «piadoso» tiro en la sien porque el que osara hacerlo se expondría a una muerte aún más horrible. Sin escapatoria. A Boyero siempre le había parecido una forma de morir pavorosa.

Las imágenes del comisario se diluyeron al oír a la señora Combetes:

—Pascual siempre tuvo negocios limpios. Últimamente nos iban mal las cosas porque el mercado de la naranja ya no es lo que fue. Hay muchas nuevas cooperativas exportadoras y multinacionales que han traído nuevos sistemas; los nuestros son los métodos de toda la vida. Es una competencia muy dura que está aniquilando a los comerciantes tradicionales.

La mujer seguramente no tenía muchas cosas de las que conversar con conocimiento de causa, pero de las exportaciones de naranja había oído hablar toda su vida. Pareció animarse para sentenciar:

—En los momentos difíciles, los bancos no quieren saber nada de nosotros.

Boyero corroboraba con sus gestos las palabras de la señora Combetes.

Tenía motivos para despotricar de los bancos, que desde hacía un año le habían acumulado minusvalías de hasta un cuarenta por ciento de pérdidas en Bolsa, sin que —en su opinión— el banco tomara medida alguna para paliar la cascada de pérdidas. La normativa legal le exigía que no tocase aquellos fondos durante dos años, con lo que no podía retirar o cambiar su dinero. Los asesores bancarios no eran capaces de dar una explicación medianamente entendible de lo sucedido, sino generalidades y disculpas: la *burbuja* mediática, la situación de Japón, del petróleo, la crisis de Sudamérica.

En momentos así habría sido muy oportuna aquella sentencia de Josep Pla: «Los bancos te ofrecen un paraguas cuando no llueve».

CAPÍTULO 23

El Negociante hizo un gesto con los dedos, imitando el movimiento de cortar con unas tijeras, para que Luis Pons interrumpiera su entrevista con la enfermera. El supervisor percibió rápidamente la agitación del Negociante; una actitud bien distinta de su relajada compostura habitual.

Tan pronto como salió la enfermera, cerró la puerta, puso el pasador y se sentó frente a Luis Pons.

—Después de nuestra entrevista en Catania Adela descubrió, casualmente, la escritura de la nave —ante los ademanes del Negociante—. Sí, ya sé: un fallo de novato.

El Negociante cabeceó un poco y Luis se propuso concluir:

—No quiere saber más de mí.

Su interlocutor, orillando las lamentaciones afectivas del enfermero, soltó:

—Han matado a Pascual Combetes.

El Negociante tenía los codos apoyados en la mesa; levantó un poco sus manos, pidiendo a Luis Pons que le dejase terminar.

—Fue asesinado anoche; lo arrojaron a un contenedor de basura. Una actuación de psicópata.

Se fijó en la cara de Luis. Pensó que su rostro no mostraba el aspecto de alguien que ha llegado de vacaciones; al contrario, parecía una persona a punto de ser hospitalizada. Eran perceptibles las grandes ojeras y un raro desaliño, pero no menos llamativos resultaban los compulsivos pellizcos a la bata.

Enrique Sastre continuó:

—Tiene que olvidar ahora lo de la chica. Debemos prestar toda la atención a estos acontecimientos. La instrucción del caso la lleva Clara Soldevilla, mi juez. Y el comisario de la policía judicial al que le han encomendado el asunto es Justo Boyero; los tres nos llevamos muy bien. Es el aspecto agradable de la noticia.

—La parte desagradable será que el asesinato me puede salpicar de alguna manera —dijo Luis, visiblemente impresionado.

—Es una hipótesis que tenemos que considerar. A Combetes le estaban presionando dos colombianos para sacarle el dinero de la nave, pero se había quedado sin efectivo; había pagado a algunos de sus acreedores los catorce millones que percibió por el local comercial. La familia ha dicho que Combetes iba a claudicar y solicitó a unos amigos fabricantes de plásticos que le prestaran cerca de diez millones que le exigían los dos tipos. Al parecer, los de los plásticos querían ayudar al naranjero y dejarle el dinero que le libraría de la amenaza.

—¡Joder!, así y todo lo eliminaron de esa forma terrible, ¡hostia! Lo siento, estoy muy asustado.

—La vida es incierta; pasamos miedo por muchas razones y para combatirlo empleamos las mejores estrategias. Le entiendo a usted muy bien. Es una situación preocupante. El objetivo de esos bestias era recuperar el dinero sin detenerse ante nada: por eso el asesinato de Pascual Combetes me ha superado. He analizado la situación con frialdad y le he ofrecido colaboración al comisario.

Luis Pons estaba escuchando, ausente, absorto en sus cavilaciones. El Negociante le reprochó que se dispersara:

—Esté atento a lo que digo y, si quiere, pregúnteme lo que no entienda. ¿Estamos de acuerdo? Bien, continuaré exponiéndole mi análisis. Hay una hipótesis, poco presumible: considerar que esos tipos sepan que es usted el comprador y quieran hacerle chantaje de alguna manera.

—¿Chantajearme? ¿De la misma manera... *psicópata* que usted decía antes? —resopló sonoramente— Es como para acojonarse...

Se quedó mirando al Negociante, que ya no le parecía aquel tipo impenetrable y esquinado. En la cara se veía el miedo. El mismo miedo que le atenazaba a él. Preguntó al secretario de juzgado:

—¿Y si confieso todo lo sucedido?

—¿Qué dice, Luis? ¿Cómo me plantea eso?

—¡Tendré que ajustar cuentas conmigo mismo!

—Está bien que se plantee cosas, pero no tiene que realizarlas necesariamente todas al mismo tiempo. No se deje llevar por el pánico. Vamos a medir los resultados de cualquier opción que tomemos y a ser razonablemente fríos.

—¡Usted y su perpetua seguridad! Parece dar por sentado que esa gente no va a dar conmigo.

—Confíe en mí y en lo que le voy a decir: poniéndonos en el peor de los supuestos, que vayan a por usted, no le encontrarán si hace las cosas inteligentemente.

—Además de *diligentemente*.

—Claro. Porque, si va a desaparecer, no diga a nadie sus intenciones. *Ni a mí ni a nadie* —arrastró «ni a mí ni a nadie», como hacía algunas veces—. Si no dice a dónde se irá y se lo guarda para usted sólo, no podrán descubrirle a través de terceras personas.

Luis Pons mostraba en su cara que estaba sumido en un grave conflicto. El Negociante volvió a insistirle:

—Si, salvo usted, nadie más sabe su paradero, ni con torturas, ni por imperativo legal, ni por ningún otro procedimiento lo encontrarán. ¿Le ha quedado claro?

—Todo lo que me pasa es por su culpa…

El Negociante creyó necesario encauzar la situación, para evitar los reproches:

—Atiéndame, Luis. No olvidemos que dentro de unos días hay que escriturar la venta de la nave a los italianos. Hasta ese día postergaremos sus deseos de ocultarse, porque hay mucho dinero por medio y su presencia es imprescindible.

El enfermero se resistía a la persuasión del Negociante. Las ocasiones anteriores en que había cedido, le habían acarreado, además de dinero, no pocos sobresaltos.

¿Cómo vería Adela la situación? —se preguntó.

Luis Pons pareció aterrizar de su paseo por las pesadillas. El Negociante volvió a emplear la voz de bajo, impostada y persuasiva:

—Tendrá protección policial día y noche hasta que vaya a la notaría. A partir de entonces, si me lo pide, puedo ayudarle a escabullirse por un tiempo. Ahora no le conviene dejarse dominar por histerismos ni por los nervios.

Luis fue sosegando su gesto paulatinamente. El secretario de juzgado le habló del comisario judicial que indagaba en este caso.

—Se llama, como le he dicho, Justo Boyero. Está en la cafetería, esperándole. Es necesario que los dos establezcan contacto. Le he puesto en antecedentes de la intervención que usted tuvo en la compra a Combetes. Háblele llanamente, pero no le cuente nada sobre lo que no le haya preguntado. Quiero decir, por ejemplo, que él no sabe lo de su coche... ni lo de Esteban Medina.

Esperó un poco, dejándole que se apaciguase; algo así como los diez segundos que se le cuentan al boxeador aturdido.

Cuando el supervisor empezó a calmarse, prosiguió:

—No debe hacerle esperar más. Vaya al bar y responda como usted sabe hacerlo. Calle lo que tiene que callar y, en caso de duda, dígale que no contestará a lo que le pueda implicar. Pero vaya relajado.

Seguramente era consciente de la confusión de Luis y añadió:

—Si le he contado a Boyero algunas cosas es porque nos tenemos mucha confianza desde la Facultad de Derecho. Es un tanto volteriano; un tipo muy sagaz y de lo más válido de este país.

—¿Cómo sabré quien es?

—¿Ve? Conserva mejores reflejos de lo que aparenta, hombre —empleaba un tono falsamente animador—. Justo Boyero tiene un gran parecido con George Clooney, el actor. ¿Sabe a quién me refiero?

En aquél momento Luis recordó al tipo sonriente que, unas semanas atrás, irrumpió en la comisaría con una multa de aparcamiento.

Efectivamente, en la cafetería del hospital, el mismo Boyero estaba en una mesa alejada de la puerta y se levantó al acercársele Luis. El comisario aparentaba tener menos estatura de la que se apreciaba a Clooney en las películas, aunque se le podía considerar alto. La mandíbula tampoco la tenía perfilada como el artista americano, aunque la semejanza era notoria.

El policía dijo a Luis Pons:

—Soy Justo Boyero, comisario de la Policía Judicial. Tengo la sensación de que nos conocemos, aunque no sé muy bien de qué.

Se sentaron. Luis le recordó el momento en que se habían visto hacía poco tiempo. Boyero le observó sin mediar palabra. Hizo una seña al camarero y pidieron unos cafés.

—Sastre dice que usted es una persona muy valiosa. Y culta.

Luis Pons mostró desconcierto durante un instante, hasta que se dio cuenta de que el comisario se estaba refiriendo al Negociante.

—Leo mucho, soy autodidacta… De usted me ha dicho que es lector de Voltaire, sagaz y de lo más interesante de este país.

Luis mostró una expresión triste que no se correspondía con el elogio. Apuntó Boyero:

—Lo de volteriano será porque a veces me burlo de cosas que siempre han sido respetadas. Creo que Enrique Sastre ha sido muy cortés.

Observó la cara seria de Luis y comentó:

—No parece muy convencido.

—Mire, ese hombre es como si dijera «hazte a la idea de que no tienes cabeza y de que yo voy a pensar por ti».

Boyero dio un cambio, de forma teatral, para decir:

—Le voy a comentar cómo enfocaremos «lo suyo». Enrique Sastre teme, con algún fundamento, que usted pueda estar en peligro por aspectos «accesorios» del caso Combetes; así que le he puesto un policía desde primera hora de esta mañana. No se vuelva, hombre. Me cuesta creer que no se haya dado cuenta: le he asignado al tío con más aspecto *de pasma* de toda España.

«Pues estamos buenos», pensó Luis alarmado, que es como solía sentirse últimamente.

—Le puse una persona así para que los que pretendan «contactar» con usted noten esa protección.

—Si es así, usted sabrá lo que hace.

Mientras daba un sorbo al café, al comisario le sonreían los ojos detrás de la taza. Dijo:

—Es extraño que no le haya reconocido, Luis. Presumo de observar al personal minuciosamente y también me gusta tratar de adivinar cómo son. Es indispensable para un policía. Hay que tener curiosidad por la vida y por lo que nos rodea. Aunque con usted me ha fallado…

Boyero denotaba dominio de la conversación y del trato con las personas. No volvió al tema que preocupaba a Luis Pons; prefería relatar el origen de sus habilidades:

—Cuando era pequeño, me gustaba ponerme en una habitación durante un rato y explorar cada uno de los objetos que había en el recinto. Salía del cuarto y le pedía a los amigos que cambiasen de sitio aquello que quisieran, sin que yo lo viera. Cuando lo hacían y me dejaban entrar, descubría siempre el cambio, con rapidez.

—¿Se hizo policía por eso?

—La atención es una cualidad —advertía que no había contestado a la pregunta del enfermero y sonrió divertido hasta terminar—: los policías cada día deben de estar más preparados porque los delincuentes aprenden mucho.

Habló el policía del funeral de Pascual Combetes en la Basílica de los Desamparados, con exagerada asistencia de autoridades. Sus superiores les habían exigido una actuación rápida para combatir la inseguridad ciudadana y el impacto de tan terrible suceso.

—En estas situaciones pasa lo mismo que en el cine: depositan todo el peso sobre la policía, cuando los responsables indirectos son ellos. Los policías hacemos el trabajo más arriesgado hoy día en este país y lo realizamos con medios escasos. Somos insuficientes, pero la gente necesita creer que podremos ayudarles, que resolveremos los delitos y prenderemos a los delincuentes.

El comisario concluyó que no rehuía pronunciarse, pero la situación no se dejaba analizar fácilmente:

—Son cosas muy complejas; no se deben tratar en un momento ni en un sitio como éste.

Luis Pons estaba incómodo delante del comisario. La conversación le creaba tensión porque no encontraba sentido a la larga perorata de Boyero, a pesar de que le parecía un hombre que sabía ir directo al grano.

Boyero se puso serio para reanudar el diálogo:

—También la juez de uno de mis Juzgados cree que debo protegerlo a usted, porque sospecha que los que asesinaron a Combetes tratarán de extorsionarlo —le miraba fijamente a los ojos—, y soy de la misma opinión, porque es el comprador legal de la nave. Soslayaré quién le informó a usted que ese local se embargaría —sin dejar de mirarle inquisitivamente al rostro—. Ya se sabe: «al que cocina y amasa, de todo le pasa».

Con el refrán, dejaba implícito que intuía la existencia de componendas y transmisiones de dominio —muy por debajo del habitual precio del mercado— realizadas para ayudar al exportador de naranjas a vaciar su patrimonio.

—Debo impedir que le hagan daño alguno.

—¿Hay posibilidades de descubrir a esos tipos?

—Muy remotas. Ésta es una zona de mucho turismo y se pasa desapercibido más fácilmente.

Mantuvo su seriedad, lo que le hacía perder el parecido con el actor americano. Dijo:

—A esos tipos tampoco les resultará fácil saber que el local es de usted.

—Preguntando en el Registro de la Propiedad pueden averiguar quién compró la nave a Combetes.

—Allí ha dejado Sastre órdenes concretas. Ojalá cometieran el error de intentarlo. Como el Registro está situado frente al Juzgado, enseguida se presentarían allí los agentes y los cogeríamos.

—Tal vez lo hayan preguntado hace días.

—Las instrucciones de Sastre son de antes de la inscripción —puso otra vez el gesto ambiguo, desconcertante—: sabe hacer su trabajo y seguro que ha cuidado bien la vigilancia.

Luis Pons reconoció que el Negociante se rodeaba de garantías y que habría tendido, con mucha cautela, una red de protección de datos para resguardar aquella operación.

—Conviene averiguar si esos tipos pueden descubrir, por otro medio que no sea el del Registro, que usted es el comprador. ¿Quiénes saben que es el dueño legal de la nave?

—A ver: el API Vicente Rodríguez, el empleado de banca, los de la notaría, Sastre —claro— y una chica, Adela Portolés.

—Su... novia —los ojos le sonrieron divertidos.

—Tuvimos relación unas pocas semanas.

—¿Y le dijo que era usted el comprador en unas pocas semanas?

—Lo descubrió ella. Hicimos los dos un viaje a Sicilia, para apalabrar la venta del local a los compradores italianos —el policía asintió como si estuviera al corriente—. Le oculté la verdad, pero ella lo averiguó.

Le interrumpió Boyero:

—Y rompió con usted.

—¿Cómo lo sabe?

—La lógica del comportamiento humano. Una mujer ilusionada puede pasar fácilmente del amor a una «cordial aversión».

Con la yema del dedo índice recogió unos granos de azúcar que estaban sobre la mesa y los puso dentro de la taza. Sin levantar la mirada, susurró:

—Tengo un amigo, licenciado en físicas, que dice que «somos una fluctuación de la nada».

Luis Pons no pudo captar la guasa que había podido emplear el policía porque se quedó rumiando las palabras de Boyero. Le sacó de sus cavilaciones una pregunta del comisario:

—¿Qué tal hacen aquí los bocadillos de «blanco y negro»?

—Son mejores los del bar de mi calle, pero éstos no están mal del todo; es el bocata que más me gusta.

—Me pasa lo mismo. En Gran Vía los hacen riquísimos; los tomo en mis guardias.

El policía rompió el momento distendido:

—¿Cómo llama, para usted, a Enrique Sastre?

Luis miró con recelo al sonriente comisario y se mantuvo callado.

Boyero, agarrándose la parte alta de la oreja:

—No hace falta que emplee conmigo una «espiral de silencio». Sé que lo llama «el Negociante». ¿Por qué le puso ese apodo?

Luis permaneció callado. Entrevistarse con un comisario produce algún desasosiego, pero si va dando bruscos saltos en la conversación, el desconcierto puede ser total.

No podía suponer que el propio Enrique Sastre le había facilitado al comisario aquella información en una reunión que habían tenido para hablar de los últimos sucesos; al final de la entrevista, Boyero quiso saber qué relación tenían el Negociante y Luis. Sastre destacó que Luis Pons era una persona fiable y prudente. Boyero puso en solfa esa virtud y bromeó sobre la poca entereza que le quedaría al enfermero después de un careo con él. Sastre insistió en la firmeza de Luis y facilitó una prueba: le dijo el «alias» con el que el supervisor alguna vez lo había designado —sin citar el asunto del coche de Luis que dio lugar a su relación con el Negociante— y después desafió a Boyero para que intentara sonsacarle a Luis por qué motivo le llamaba así.

Se habían hecho una simbólica apuesta que Justo Boyero no iba a ganar.

—No voy a contestarle a esa pregunta. Es cosa nuestra —advirtió cortante Luis Pons.

—Todos somos un poco *negociantes*. ¿Cuál es el significado cabal de *negociar*? —Dejó la pregunta en el aire, como una sentencia—. A Enrique le gusta mucho una acepción: «negociar es hablar una persona con otra para solucionar un asunto».

Se sonó despacio; mientras doblaba el pañuelo, le aseguró al supervisor, ladinamente:

—Usted no sabe lo feliz que le hizo al ponerle el mote de «Negociante».

Luis Pons se dijo que el policía disfrutaba *vacilando* con él. Decidió mostrarse hermético y no contestar cuando creyera que podía ignorar las preguntas.

Como si Justo Boyero leyera su pensamiento, apostilló:

—Sólo me interesaba conocer la verdadera relación de usted con Combetes.

CAPÍTULO 24

En la Comisaría, Boyero se reunió con tres inspectores de la policía judicial con los que, desde hacía años, mantenía una relación peculiar. Cultivaba el compañerismo que mantenían correspondiéndoles con amistad. El día anterior les había encomendado una cuidadosa investigación y esperaba saber el resultado de sus averiguaciones.

Justo Boyero fue pasando su paquete de tabaco a los inspectores. La descuidada vestimenta de ellos contrastaba con el mejor gusto de Boyero, trajeado de gris marengo, camisa gris claro, sin corbata, y gemelos de color negro.

—Creo que no hay otro que compre tabaco sin ser fumador. Boye, maestro, el más grande.

—Lo hago con gusto, Goyo. ¿Cómo está tu chaval?

Boyero sabía que a aquellos policías no les importaba demasiado la familia, pero era cierto que se sentían halagados si eran considerados como unos buenos padres.

—Ya va al cole —le mostró su mejor sonrisa a Boyero y comenzó directamente con los resultados de su gestión—. He comprobado que Combetes era miembro del Opus Dei. Se habla muy bien de este hombre, incluso lejos de los ambientes del Opus. Se comenta que, con frecuencia, algunos miembros no gozan de buena prensa entre otros católicos. Pascual Combetes era una excepción.

Se levantó a coger el cenicero y apagó el cigarrillo, aunque estaba prácticamente entero.

—Prefiero el negro.

Prosiguió:

—Combetes, aunque era de la Obra, iba un poco por libre; parece que entre las normas del Opus hay una que les obliga a —sacó un papelito y leyó—: «consultar con un superior antes de realizar inversiones económicas». El naranjero no hacía caso a esa exigencia y seguramente por eso no le ayudaban «corporativamente». Pidió el dinero a los Alcina, que son también del Opus y parecieron querer echarle una mano; con ánimo de ayudar a Combetes le extendieron un cheque nominal de diez millones, que me enseñaron. Me «dijeron» —el policía remarcó el verbo, como queriendo dejar claro que no se lo acababa de creer— que lo tenían extendido antes de saber lo del crimen.

Goyo miró a Boyero y abrió sus manos, negando con la cabeza:

—¡Joder, pero es que yo no se lo había preguntado! La ayuda de los Alcina no se pudo completar porque Combetes necesitaba dinero en efectivo con que pagar a los colombianos. Para poder sacarlo del banco, sin que constase el nombre de quién lo cobra, es preciso repartir la cantidad entre varios talones, inferiores a quinientas mil pesetas cada uno de ellos.

Se detuvo esperando alguna confirmación a sus últimas palabras. Como sus compañeros per-

142

manecieron silenciosos, volvió a sus juicios sobre los Alcina:

—No me gustan... no son gente sana. Demasiado santurrones. Y con una resignación... hipócrita. En las entrevistas conmigo alababan a Combetes hasta ruborizarme: «Pascual está con *Monseñor*»... ¡el Escrivá de Balaguer! Los tres hermanos Alcina son dueños de una industria de plásticos que debe de valer la releche.

Se volvió hacia otro de los compañeros y le mostró con aspavientos el recelo que los Alcina le producían.

Luego, dirigiéndose a todos, exclamó:

—Y en aquel despacho de puta madre, a un lado, tenían un reclinatorio muy *aparente*. ¡Os lo juro!

Boyero meditaba que estos años de principios de milenio eran años inciertos. Recordaba haberle leído a Leonardo Sciascia que «nada bueno se puede esperar de un hombre que reza sobre un reclinatorio de terciopelo».

Boyero animó a Suárez, un inspector muy delgado y nervioso, para saber el resultado de sus gestiones entre los confidentes habituales de la policía.

—Hice el trabajo que querías. El círculo de esos sicarios es impenetrable. Todos recelamos de ellos, pero a los chivatos nuestros esa gente les da pánico. Pienso que no los van a delatar. Ajustan cuentas con frecuencia, más de lo que creemos, y no se sabe qué pasa con los que liquidan. Son como una maraña, imposible de desenredar.

Estaba sentado en el borde de la silla, con los codos apoyados en los muslos. Como levantaba el talón del pie derecho en un tic nervioso, todo él parecía convulso.

Boyero agradeció la información y trató de tranquilizarle:

—Terminarás acostumbrándote.

Se giró hacia el tercer inspector, que era el de mayor edad, para que empezase su turno:

—Villar, dame buenas noticias.

—Sí, son buenas. Hay un actor, un tipo que hace doblajes, al que creo que tienes que conocer. Es un *sudaca*, o creo que más bien centroamericano, con una pinta rarísima; se llama Alfonso Donato y lleva en Valencia unos meses. Estuvo antes medio año en Mallorca y en Barcelona; ahora hace doblajes en valenciano.

La sorpresa y las risas de todos fueron acalladas por el informante, que siguió desgranando las características del personaje:

—Cuando él quiere no te puedes creer que sea centroamericano. Con sus habilidades se enrolla mucho. Tiene un oído cojonudo y es muy hábil imitando. Puede hablarte cubano o argentino o lo que le parezca. Si le oyes cuando se expresa en mallorquín o «barcelonés» te hace mucha gracia; es para partirse. En Televisión Valenciana dobló una película, en la que Andy García hace de gángster cubano; el muy pillo se las arregló para decir cuatro cosas en valenciano —las que en la versión original correspondían al inglés— y las demás en caribeño. Desde aquel trabajo, los compañeros de televisión le llaman Al Donato.

—¿Qué defecto tiene? Alguno habrá.

—La ginebra y alguna droga. Carece de documentación legal; gana bastante pela, pero se la funde. Ha trabajado alguna vez con gentuza colombiana. Hay dos de ellos que seguramente tienen mucho que ver en el caso de Pascual Combetes.

Justo Boyero extendió la mano derecha, como si fuera a recibir algo de Villar, que continuó:

—El tío mamón este imita el acento colombiano y, por ahí, tal vez le podamos sacar partido. Está en la Televisión por las mañanas. Con esta moda de pasar las películas del castellano al valenciano, no le falta curro. Hay que destacar un detalle: tiene documentos falsificados y trabaja en el Canal autonómico todos los días.

Boyero expresó la satisfacción que le produjeron las informaciones de los compañeros y les pidió con insistencia que se guardase la confidencialidad más absoluta.

Después salió con Villar para tener una entrevista con el actor Alfonso Donato.

En la cafetería de Televisión tuvieron lugar las presentaciones. Era un individuo corpulento, con tendencia a acumular grasa y algo cargado de espaldas. Cubría su gran corpachón con ropa deportiva; unas larguísimas patillas, de menos de un centímetro de ancho, le llegaban hasta el mentón. A pesar de que solamente era mediada la mañana, el hombrón ya estaba sentado delante de un cubalibre.

Al Donato quiso hablar con Villar, pero éste le mandó callar dándose en los labios con el dedo índice.

Señalando a Justo Boyero:

—El jefe hablará de tu documentación. Te dejo con él.

Murmurando su nombre, Alfonso Donato, comenzó:

—Señor policía, usted dirá en qué puedo servirle.

—Comisario Justo Boyero.

Fumaba compulsivamente y le explicó que era para «romperse» la voz.

Mientras le hablaba al comisario del asunto de la documentación hacía ademanes de escribir en el aire. Gesticulaba constantemente. Justo Boyero le sonrió, muy a su pesar. El corpulento siguió con voz honda:

—Ya le he dicho al otro policía que no puedo colaborar en este asunto, aunque conozca a esos dos colombianos que ofrecen «protección». Si he ido con ellos, alguna vez, a determinados locales de copas es porque esta humanidad mía —se llevó la mano desde la barbilla a la cintura— y su ferocidad intimida mucho a los dueños de los bares. Por el «paseo» me pagan una *plata* —hizo ademán de poner contundentemente un billete sobre otro—. Y nada más.

Boyero levantó la mano derecha con la intención de que Alfonso Donato interrumpiera su exhibición de mímica y prestara atención a lo que, de verdad, le interesaba tratar.

—¿La «ferocidad» de los colombianos de qué calibre es?

—Del 7,65...

—¿De verdad quieres negarte a colaborar? Estás ilegalmente en España y te codeas con gentuza armada, aunque sea con una *pipa* pequeña. Esos dos motivos son suficientes para que mi amiga la juez te mande a tu país o al talego. Como creo que tienes un buen repertorio de registros sudamericanos, estoy pensando que serías capaz de hacerte pasar por colombiano.

146

—Le veo venir… Esos métodos son de guionista de cine. No puedo hacerme pasar por colombiano. Considere que estoy haciendo doblajes, pero los hago aquí en España. Los dos tipos saben que soy *sentroamericano* y lo notarían fácilmente; de la misma manera que a usted se lo notaría un sevillano, si se pusiera a hablar en andaluz.

Alfonso Donato se extendió en explicaciones sobre el esfuerzo «de elipsis» que había que hacer cuando, en las antiguas novelas y películas americanas, un agente de la CIA o del FBI se introducía en organizaciones de Rusia —de cualquier país— y nadie le notaba el deje norteamericano. Sentenció:

—La realidad demuestra que, en general, cuando uno de esos chicos americanos trata de hablar otro idioma que no sea el suyo ¡no hay modo de entenderle!

—Necesito tu ayuda para detener a esos dos *malandros* que se dedican a extorsionar y que han matado a un ciudadano de forma espantosa. Has dicho a Villar que te han «cantado» —el comisario se mordió el labio inferior, aguantando las palabras—. No hay quien se lo crea.

—Creo que se me calentó la boca con el policía.

—Se te calentó la boca…

—No puedo afirmar que esos dos tipos intervinieran en hechos de sangre. Nos hemos tomado juntos unas copas y también se han ido de la lengua. Me dijeron que se habían cargado al naranjero. Son unos *echadizos*. Don Justo, no me ponga con ellos. Yo tengo una familia allá y si *largo* me *malician*.

—Cuando estés conmigo no sobreactúes y reprime tu verborrea. Te escuchas demasiado.

Escupiendo las palabras:

—No me gusta.

Esperó a que su juicio calase en el grandote y le informó:

—He venido porque Villar me aseguró que colaborarías conmigo a cambio de arreglar tu situación. Si me echas una mano, sin dispersarte demasiado, te ayudaré.

—No se me enoje, seguimos *platicando*. Yo sé que usted es, como dicen aquí, un tío legal.

Boyero se dijo que si aquel hombre hubiera sido uno de los más astutos del mundo, en lugar de ser uno de los más simples, se habría dado cuenta de la paradoja que suponía elogiar a un comisario aplicándole el calificativo de «un tío legal».

—Convénceme de algo antes de que se me termine la paciencia.

—Vale. Hace unos días estaban muy eufóricos y se guaseaban del cristiano que habían tirado a la basura. Estábamos en el gimnasio del *Panameño*... ¡Si ahora me pongo a averiguar algo, me atribuirán todo lo que les pase! Usted se da cuenta.

—No me creo que hayan sido ellos —replicó Boyero.

El comisario pensó que, con el encendedor Zippo y el cigarrillo, Al Donato parecía un personaje de un cortometraje de Alfred Hitchcock; su rostro tenía algún atractivo, aunque el lenguaje corporal del tipo era complicado y el resultado final causaba cierto rechazo físico, por su insistente deseo de hacerse notar.

Antes de que se le desparramara otra vez aquel hombre, Boyero propuso, enérgico:

—El trato es éste: si quieres que te facilite documentos —se detuvo un instante— tienes que conseguir que te cuenten todo lo referente al caso, para poder detener a los asesinos. Ya te han dicho que cumplo mis promesas. Si me informas bien sobre lo que necesito, te facilitaré los papeles de residencia.

—Y para mi familia también.

Boyero se contuvo. No quiso romper el momento propicio que estaba consiguiendo.

El voluminoso individuo no se apercibía del tedio del comisario.

Al Donato continuó con su lloriqueo:

—No es porque quiera regatear, que usted es *provecto*, maduro, y soy muy flojo negociando; se lo pido porque usted seguramente ignora que nuestra familia es la garantía que ellos tienen.

—He trabajado con la Dijin, la policía judicial colombiana, asistí con ellos a unos largos cursillos en Madrid.

—Le harían un reporte de cómo actúan. Preliminarmente, si alguien se retrasa en cumplir los compromisos o *larga* a la policía, lo terminan pagando los familiares de allí o la novia —se entretuvo jugueteando con el limón del cubalibre—. Ayer mismo le decía yo a mi chica: «Tienes que venir, es muy lindo acá». ¿Cuándo podrán reunirse conmigo?

—Depende de la rapidez que tú emplees en ponerme al corriente de todo.

—Me es imprescindible la documentación por dos razones.

—Dime la segunda.

—La «concurrencia» se cree que gano una fortuna y no es así. Tengo que cobrar a través de una «empresa» de uno de los directivos de esta Casa, que me paga lo que le sale del carajo y se queda con una buena parte de mi estipendio. No tengo contrato de trabajo, ni Seguridad Social, ni nada. Para vivir como un actor se necesita mucha plata.

Con su voz más grave, de vieja cañería, que le gustaba emplear en los doblajes soltó una lamentación:

—Mi único consuelo es la ginebra y algún que otro porro.

Boyero no dejaba de preguntarse cuánto tiempo tendría que seguir escuchando la incontinencia verbal del grasiento, que no paraba:

—Me gustaría saber a dónde le puedo telefonear. Le llamaré desde un teléfono público. No se me permite ni tener móvil —volvió a desperdigarse—. Por cierto, todas las cabinas de Valencia están situadas al sol y con este clima es asfixiante telefonear desde ellas.

Boyero sonrió abiertamente ante la última chorrada del actor. Al Donato se extendió en explicaciones sobre lo difícil que era, para un «sin papeles», la vida en España. El comisario miraba distanciado al atemorizado grandote que ya mostraba intención de terminar la entrevista:

—Con usted es fácil llegar a un acuerdo. No le defraudaré.

—Te exijo mucho porque el premio que recibirás es grande. Si mi propuesta fuera un farol, aceptaría cualquier colaboración tuya; pero como pienso cumplir todo lo que te estoy prometiendo, reclamo otro tanto.

Le pidió que se fijase bien: no sólo tenía que sonsacarles información suficiente para detenerlos sino que, además, tendría que identificarlos en Comisaría. Era necesario para poder procesarlos. Había mucha gente importante interesada en que se detuviera a los dos colombianos; se refería a políticos, a hombres de la Justicia y a personas vinculadas a la Iglesia. Tenía carta blanca para garantizarle protección, seguridad total y, por supuesto, facilitarle de inmediato los... *papeles*.

Alfonso Donato insistió en el miedo que le producía contribuir al arresto de los dos asesinos que buscaba Boyero. El barman puso más ginebra al cubalibre en cuanto el actor hizo un gesto ligero con el vaso. Estaba inquieto ante la coyuntura que se le avecinaba y continuamente suplicaba al comisario que no lo dejase tirado y expuesto a la venganza de los criminales. Su discurso era repetitivo; no bien acababa de exponerlo cuando ya volvía a comenzar: era un hombre conocido, no *andaba en malos pasos* y era muy fácil de localizar en su trabajo; para los colombianos sería sencillo seguirle la pista y hacerle pagar su chivatazo. Por eso necesitaba tener bajo protección a su familia. Y traerlos; con ellos en España podría encontrar un nuevo trabajo, cambiar de residencia y esconderse en un pueblito tranquilo, lejos de la larga zarpa de los extorsionadores y sus secuaces colombianos.

Era como una parodia de sí mismo.

El comisario le reiteró las máximas garantías.

CAPÍTULO 25

Los dos colombianos se ducharon antes de entrar en la sauna del gimnasio. Fuenmayor era musculoso, llevaba la coleta atada en la nuca con una cinta negra; removió un poco las piedras porosas del centro de la sauna. El compañero cogió un cacito de agua y la vertió sobre las piedras. El chorro se evaporó casi en el acto.

Samudio tenía estrabismo y un extraño bigote con puntas hacia abajo, en forma de herradura.

Ambos llevaban una toalla prendida en la cintura. Poco después entró Alfonso Donato. En ese momento, Fuenmayor miraba sus manos, hinchadas por la dura sesión de gimnasia.

Donato colocó minuciosamente la toalla sobre los listones de madera del banco y se sentó desnudo sobre ella. El tipo de la coleta golpeó con la palma de la mano el muslo del actor y le hizo un obsceno comentario sobre el tamaño de su corpachón y lo poco que abultaba su «colita».

—A ver si *cambiás* de repertorio, Fuenmayor. Tu colita tampoco es la de Sansón.

—La cola del pelo, tal vez; pero la otra ya la quisieras *vos* —se rió de su imitación del «voseo».

Fuenmayor replicó a los dos que estaban con él en la sauna:

—Prefiero llevar esta cola que esas pendejadas tan feas del bigote y las patillas que llevan ustedes.

Donato advirtió el gesto agresivo que su reproche había provocado en Fuenmayor y suavizó el tono de su introducción. Debía emplear más tacto con aquellos tipos, por lo que comenzó echando la culpa de su rabieta al trato que recibía de su jefe en Televisión.

—Estoy harto de las putadas del chivo mamón de mi jefe. Se queda con la mayor parte de mi retribución y encima me jode.

Samudio le hizo un claro gesto de menosprecio y se levantó, dirigiéndose hacia la ducha. Su compañero no tardó en seguirle y Donato se apresuró a salir detrás de ellos, aunque apenas había arrancado a sudar. Era menos hábil que los otros dos para ponerse la toalla y se le cayó al suelo unos metros antes de llegar a las duchas provocando de nuevo las chanzas de Fuenmayor sobre el tamaño de su pene. Al Donato ignoró la guasa del coletudo y propuso a los colombianos tomar unas cervezas para poder hablarles de un negocio.

En el bar pidieron tres «campanas». Empezaron a dar grandes sorbos de las gigantescas copas de cerveza, escuchando los lamentos de Al Donato y sus desventuras con el jefe.

—Me gustaría contrataros para que atemoricéis al tipo, pero sin pasaros; no vayáis a dejarlo *muñeco*... como al naranjero ese que me dijisteis.

—*Versiones indican* que había hecho un *negosio* redondo. Cobró y se olvidó de pagar; cuando nosotros se lo *recordemos* no nos hizo caso. Y no fuimos los que lo mataron con tiro de pistola, así que no lo digas. ¿Qué trabajo es ése tuyo?

—Te lo estoy diciendo. No pretendo quedarme sin ocupación sino que se reparta más justo. *¿Mentendés?* —la cara de Samudio expresaba la alteración que le producía el encargo de Al Donato; como el actor se dio cuenta, intentó de nuevo la persuasión—: A mí me la suda lo que hicisteis o dejasteis de hacer, pero a mi jefe no hay que tirarlo a un contenedor ni hacerle como al otro. El trato tiene que ser así. ¿Qué me decís?

—Nosotros trabajamos solamente para una Compañía de cobros difíciles. No podemos trabajar para nadie más.

—¿Cómo que sólo para una Compañía? Yo les he acompañado a ustedes a chingar a los de los bares de copas. Quien trabaja para más de uno puede atender un compromiso con un colega.

—No somos colegas. Vale, hemos ido a «pasear» juntos —dio unos golpecitos con el codo a su paisano—, pero lo hicimos porque no sabíamos la birria de minga que tienes —soltaron fuertes risotadas—. Creíamos que todo sería como la «fachada».

Alfonso Donato intuyó que esa estrategia podía ser más conveniente para facilitar que los colombianos accediesen a sus propósitos. Poco a poco se fue incorporando a las chanzas escatológicas de Fuenmayor y Samudio y los tres parecieron retornar a las fases anales de la niñez.

Habían pedido más cerveza y chupitos de ron, para combinar. Cuando remitieron las bromas contra Donato, Samudio se tomó la molestia de argumentarle por qué había decidido no atender el encargo del actor:

—Mira, para realizar nuestro trabajo nos presentamos diciendo que somos de una Compañía muy conocida y que vamos a cobrar una deuda pendiente; es mejor que decir que vamos por *cuenta de nosotros* a visitar a un tipo y soltarle que o paga o lo balaceamos.

—Bueno, ahora no se hagan los guapos conmigo, que sé muy bien cómo se las gastan extorsionando a los de los bares; por no citar al viejo que *tiraron* a la basura.

—Oye, los tipos como tú terminan con la lengua metida en el culo. ¿De dónde nabos te viene que hemos intervenido en ese asunto?

—Lo dijisteis en el gimnasio, hace unos días. Pero eso son macanas; lo que me importa es que me ayudéis con mi jefe de la *Tevé*.

—De cualquier manera la vaina ésa tendrá que esperar. Hoy nos vamos a Torrevieja.

Alfonso Donato abandonó el asunto que le ocupaba. Aquellos tarados habían sesgado su razonamiento —olvidando las manifestaciones anteriores— y el actor de doblaje preparó la despedida en vista de las circunstancias adversas.

Desde una cabina telefoneó al móvil de Boyero. El policía recibió como un jarro de agua fría las malas noticias. Había puesto sus esperanzas en aquel gambito y no le había resultado. Tendría que corregir la estrategia.

Donato seguía con su parloteo:

—Samudio y Fuenmayor dicen que ellos solamente acosaron a Combetes; ahora salen con que fanfarronearon conmigo en el gimnasio del Panameño y que lo hicieron para jalear a los paisanos de que se habían cargado al *victimario*. Dicen que se van a Torrevieja y que me encargue yo mismo de amenazar a mi jefe en Televisión. ¡Hasta me han dejado el *juguete* para que le intimide!

Justo Boyero no exteriorizó con palabras la decepción que sentía. Alfonso Donato era un tipo adiposo, le caía particularmente mal, pero sabía que tenía que prolongar su relación con el actor de doblaje. Donato era el único nexo hasta los asesinos y trató de levantarle el ánimo:

—Has hecho un buen trabajo. Consideraremos que el camino que emprendimos no era el apropiado. Conviene emplear la astucia y no dejar de lado a esta pareja.

Boyero le había dicho esas palabras poniendo tranquilidad, aunque en su fuero interno maduraba una conclusión: si no conseguían encontrar a los asesinos de Combetes, tendrían que acallar de alguna manera la inseguridad de la gente.

El comisario comenzaba a sentirse pillado entre la presión que estaban ejerciendo sus superiores sobre él y el habitual trabajo de la policía de Homicidios. Todas las expectativas que había puesto en Donato se vinieron abajo a las primeras de cambio.

Pero algo le decía que, si seguía vigilando a Al Donato, terminaría localizando a los colombianos.

CAPITULO 26

En el taxi, Luis Pons se sentó en el centro de las dos plazas de la parte posterior y le explicó al conductor que iban a la calle de Las Barcas, aunque le rogó que se esperase un poco, mientras simulaba efectuar una comprobación del contenido de su cartera.

Quería cerciorarse de que el coche de la *secreta* le seguía; cuando lo comprobó, por el retrovisor, comunicó al taxista que todo estaba en orden y podía ponerse en marcha.

Por el espejo lateral captó un discreto gesto de conformidad del hombre que se había convertido en su sombra matinal

El taxi se detuvo junto al aparcamiento público y Luis bajó del vehículo para subirse al coche del policía escolta, que venía inmediatamente detrás. Bajaron la rampa del garaje y, sin apenas hablar, estacionaron. Ya en la acera de la calle de Las Barcas caminaron uno al lado del otro hasta la notaría.

En el portal estaba el Negociante, apenas reconocible con las gafas oscuras que llevaba. Le hizo a Luis un gesto para que subieran al ascensor él y su escolta. Antes de que el supervisor pulsara el botón, el Negociante le susurró:

—Han llegado todos. Nosotros seguiremos, aquí abajo, vigilando. Ya le entregué al notario la cancelación de la hipoteca.

«El Negociante siempre produce la impresión de saber algo que uno no sabe», pensó Luis.

En el vestíbulo de la notaría, la recepcionista los hizo pasar a una lujosa sala de espera, que estaba vacía, anunciando que los compradores ultimaban «las cosas» con el Notario.

—Enseguida pasarán ustedes.

El policía ofreció tabaco a Luis, que rechazó la invitación. El agente opinó:

—Nos dará tiempo a fumar. Tengo órdenes de entrar con usted. El notario sabe que soy policía, pero le hemos dicho que para los compradores seré un API.

—Me parece demasiada precaución. ¿Qué puede pasar en un sitio como éste? —preguntó Luis.

—Nada, si se toman todas las medidas.

—Una vez que hayamos terminado aquí, ¿qué va a hacer usted conmigo?

El policía se puso enigmático:

—Seguir las órdenes encomendadas.

Se abrió la puerta y el oficial los introdujo en el opulento despacho. El notario presentó al policía como agente de la propiedad.

—Creo que los demás ya se conocen.

Se saludaron efusivamente; el secretario les advirtió de que el acto resultaría más largo de lo habitual, por las previsibles dificultades de lenguaje y de derecho comparado.

Mientras el notario leía el documento, Luis Pons meditaba sobre el trágico final de Combetes, con quien había estado hacía pocas semanas en aquella misma notaría.

Finalizada la lectura, el notario expuso que se ausentaría unos instantes. Otra vez desempeñaba el rol; en esta ocasión su marcha permitiría que los compradores italianos pagasen tranquilamente a Luis.

El bancario exhibió la cancelación de la anterior hipoteca de catorce millones. Uno de los italianos entregó a Luis el cheque contra un banco español por diez millones de pesetas y otros quince millones más en efectivo, dinero *negro* que no figuraría en la Escritura.

Luis Pons necesitó varios intentos para conseguir introducir en su cartera tantos billetes.

Estaba nervioso y le faltaba práctica.

Poco después se despidieron de él los italianos. Luis rechazó amablemente la oferta de trabajo que el director le había hecho y prometió visitarlos en Taormina.

El Negociante le pidió a Luis que lo esperase en las dependencias de la notaría, ya que él se había brindado para acompañar a los compradores italianos hasta la calle.

El policía acompañante aseguró que él tenía que marchse y dejó sólo a Luis, sentado en uno de los sillones de la sala. Poco después entraron el Negociante y Justo Boyero. Enrique Sastre comentó que todo había discurrido «normalmente». Tomó la cartera que estaba a los pies del enfermero, mientras le decía:

—Creo que es para nosotros.

—¿Él también?...—preguntó Luis, señalando al comisario con la cabeza.

Boyero aclaró, con sorna, que el «para nosotros» era para la *tribu* e hizo un gesto expresivo con las dos manos, indicando que no quería ni tocarlo.

El Negociante se dirigió a Luis:

—Usted ya tiene su cheque, supongo.

Luis Pons estaba pensando en el anterior comentario de Boyero y tardó un poco en contestar afirmativamente.

Boyero le habló a Luis:

—Ahora tocaremos este asunto para solucionarlo definitivamente. Quiero adelantarle que le prestaremos apoyo. Un pacto previo: nosotros tres vamos a hablar con toda confianza y sin trabas, pero al terminar esta reunión, nada de lo que aquí se diga se podrá divulgar.

Los tres expresaron su conformidad.

El Negociante apuntó:

—El comisario Boyero tiene un plan que le expondrá después; el primer paso era el que acabamos de dar, escriturar la venta de la nave a los italianos. El resto es necesario que lo analicemos con sagacidad. Nos jugamos todos la tranquilidad para el futuro.

Esperó para ver si sus palabras calaban hondo en Luis. El enfermero les replicó:

—En las últimas semanas he ido de sobresalto en sobresalto. Díganme en qué consiste el plan, a ver si consigo serenarme.

El Negociante levantó un poco la mano para pedir al comisario que le dejase a él exponerlo. Comenzó:

—Hay dos colombianos que tienen algo que decir de la muerte de Combetes. Hemos contemplado una hipótesis para incriminarlos, pero no ha dado resultado. Si queremos identificar a los asesinos habrá que tenderles una trampa, un cebo, que les haga picar. Aquí es donde usted tiene que intervenir.

160

Luis Pons pensó que la pesadilla retornaba. Sastre agregó:

—Aprovecharemos un enlace que tenemos. Se trata de un actor de doblaje que está incordiando a los colombianos con las estratagemas que se nos han ocurrido.

—Hay que arriesgar lo menos posible con ellos, pues son gente violenta, psicópatas —declaró Boyero—. No daremos un solo paso hasta tener asegurado el éxito de la operación.

—Detener a esos tipos y juzgarlos —Luis hizo un corrillo con el dedo, incluyendo a los tres— ¿nos conviene?

—Se podrá pactar lo que vayan a decir en el Juicio, si se celebra —apuntó Sastre el Negociante—. Seguramente se resistirán al acuerdo, pero como han provocado mucho revuelo accederán a lo que les pidamos. Son escoria, unos miserables sin remedio.

—Déjenme decirles —habló Luis— cómo lo veo: se ha cometido un asesinato horrendo... y puede no ser el único. Da la coincidencia de que el muerto era quien me vendió la nave. Yo debo de ser el próximo objetivo de la... —miró al Negociante y aguantó el gesto— «escoria»... porque a quien van a matar es al propietario. En todo este barullo que se ha formado nosotros dos hemos ganado un dinero. Hasta donde alcanzo a entender, no existe retorno y habré de seguir adelante, exponiéndome y haciendo todo lo que ustedes me manden. Estoy verdaderamente jodido porque estos sucesos me acompañarán, como una sombra, toda mi vida.

Luis Pons esperó el parecer del Negociante, que trató de eludir la directa acusación del supervisor:

—Más que escoria son sicarios, asesinos a sueldo.

Esperó para comprobar si su apreciación era compartida. A Luis Pons le interesaba mucho más saber qué iba a hacer el Negociante.

Enrique Sastre puso la mano en el brazo de Boyero, buscando alguna confirmación, y continuó:

—En estas cosillas —hizo señal de referirse a Luis y a él mismo— afloran algunos aspectos de nuestra conducta que pueden parecer infames. En la situación actual, usted y yo no tenemos más cojones que elegir entre una medida mala y una imposible. La calaña de la gentuza que destrozó a Pascual Combetes y —enfatizó las palabras sílaba a sílaba— *la forma espantosa que emplearon* ha malogrado cualquier otra salida. Usted, Luis, va a correr un innegable riesgo, pero con nuestro plan le aseguramos que le pueden quedar muchas posibilidades de reemprender su vida.

El comisario Boyero pareció refrendar las últimas palabras de Sastre, que prosiguió:

—La mía... mi vida como secretario de juzgado se ha terminado. Me han ofrecido una retirada silenciosa, pero fulminante, o un escandaloso proceso. Estoy entregando todo a mi sustituto y en unos días me esfumaré. Han salido cosas mías turbias, pero yo también he sacado a relucir favores «poco presentables»; así que hemos llegado a un acuerdo con la judicatura. Lo dejo y desaparezco. Boyero se encargará de descubrir a los asesinos y aprehenderlos.

—Para ponerlos en manos de la justicia —agregó el comisario.

Luis estaba impresionado por la confesión del Negociante. Tomó la última palabra de Boyero para preguntar:

—La justicia que ha arreglado lo de Sastre o...

Boyero hizo un enérgico ademán para que Luis no terminase de formular la gran pregunta.

A continuación extendió la mano hacia Sastre y le hizo una invitación para que relatara algo:

—Cuéntale.

—Hace algún tiempo, nos fuimos encontrando hasta cuatro cadáveres; aquellas cuatro personas habían muerto en similares circunstancias aunque en lugares muy alejados entre sí. Suponíamos, razonablemente, que podía tratarse de un «asesino en serie». Pasó mucho tiempo hasta que, de forma casual, detuvimos al autor de uno de los delitos; confesó ser inequívocamente el causante de ese homicidio, facilitándonos muchos detalles minuciosos y el móvil del asesinato; sin embargo no pudimos implicarle en ninguno de los otros tres crímenes, cometidos de manera idéntica.

Se detuvo para hacer unos gestos con los brazos, que parecían expresar la incongruencia de todo lo que estaba relatando. Continuó:

—Nos llovieron presiones fortísimas de los políticos y de las autoridades policiales; tuvimos que buscar un arreglo. Lo encontramos. ¿Sabe en qué consistió el apaño?

Luis Pons puso cara de no querer aventurar la componenda. Tomó la palabra Enrique Sastre, para desvelar la incógnita:

—Nadie iba a librarle de una condena de treinta años, así que se negoció con el asesino convicto: si se declaraba autor de las cuatro muertes se le haría una reducción de la pena, «por ayudar a eliminar la alarma social».

—¿Aceptó confesar tres homicidios que no había cometido?

—Era un buen ciudadano —el Negociante empleó todo el cinismo que la situación requería— y pudo hacer un *servicio* a la sociedad. Le cayeron sólo veinte años porque se tuvo en cuenta el «arrepentimiento espontáneo».

—¡Joder, nos costó un año detenerle! —exclamó Boyero.

—Y el asesino en serie, el de verdad, ¿siguió actuando? —preguntó Luis.

—No ha vuelto a encontrarse ninguna víctima como aquéllas. Un enigma.

—En los trabajos en los que se *juega* con la vida y la muerte siempre hay casos excepcionales. Usted habrá oído relatos de los médicos —Boyero dejó ambiguamente la conjetura en el aire—. Tal vez haya intervenido en alguna ocasión.

Luis Pons no respondió a la puntillosa presunción del comisario. Antes bien, quiso eludir el sesgo que Boyero daba a la conversación:

—Todo lo que me están exponiendo tiene un riesgo innegable. Estas cosas asustan y no se puede vivir con miedo. Tengo muchas reservas; necesito vencer los temores y enfrentarme a las dificultades que vayan saliendo. Cualquier pequeño fallo tiene consecuencias imprevisibles y ni ustedes mismos pueden asegurarme que lo solucionarán a tiempo. Debe de ser falta de práctica —se justificó Luis—. Pero no puedo vencer esta desazón.

Luis Pons se había ido desahogando a medida que liberaba sus fantasmas. Miró al Negociante y prometió con tono firme:

—Seguiré las instrucciones del comisario, aunque le voy a decir que al principio de conocerle, cuando le consideré a usted un «negociante», me engañó con su filosofía de «el azar le ha tocado en el hombro». Ahora sé que, cuando las contingencias no le son favorables, se acojona, me da la espalda y se larga.

CAPÍTULO 27

Era sábado. Había llegado la lluvia de mayo. Luis Pons salió con su nuevo Golf GTI hasta la playa de El Saler. Le apetecía conducir bajo la copiosa lluvia y comer en un restaurante de la playa. Desde hacía veinticuatro horas un temporal había dejado caer grandes cantidades de agua sobre la comarca de Valencia. En la parte cubierta del establecimiento resultó imposible encontrar una mesa libre porque toda la gente buscaba refugio en el local: tuvo que conformarse con un espacio bastante incómodo en la barra, donde empezó a dar cuenta de una cerveza y un plato de gambas a la plancha.

—Hola. Me parece que tú tampoco has querido esperar a tener mesa.

Adela Portolés tenía el chándal y el pelo totalmente empapados. Estaba con los hombros encogidos por el frío y tendió la mano a Luis, que la estrechó calurosamente, haciendo ademán de besarla en la mejilla. Adela lo contuvo discretamente con la otra mano, dejando a Luis confundido.

—Adela, qué sorpresa tan agradable —le cedió su taburete—. Siéntate.

—Vaya día de playa. No sé cómo podemos decir que las buenas cosas nos vienen «como agua de mayo».

Se quedaron un momento en silencio, contemplándose.

Luis la animó a que pidiese alguna cosa para comer, pero ella solamente accedió a tomar una cerveza y compartir las gambas de Luis.

—Estás guapa.

—Huy, sí, como una rana —puso un gesto de horrorizarse—. No esperaba verte por aquí.

—Pues mira, precisamente venía a la playa a recordar tiempos pasados. Gratos recuerdos de paseos, contigo.

—Yo los tengo, muy buenos, y no sólo de la playa. Recuerdos felices —pareció no querer precisar más—. ¿Cómo te van las cosas?

—Me va bien, a ratos —se dio cuenta de que había sido poco espontáneo y corrigió—: francamente, he conocido mejores tiempos.

—Cuánto lo siento.

—Ya lo sé. ¿Cómo te va a ti?

Adela Portolés estaba bebiendo y, como si se acordase de algo muy importante, abrió mucho los ojos y exclamó:

—¡Tengo un curro!

Explicó cómo había conseguido una plaza en la Televisión Valenciana. Un trabajo algo parecido a correctora. Le relató alguna de sus dificultades iniciales y las expectativas que le producía la primera ocupación.

—Ya está bien de *yoyear*, de hablar de mí. ¿Por qué razón estos tiempos tuyos no son los mejores?

—En parte por lo nuestro. Una parte demasiado importante. Y porque el asunto de la nave se ha envenenado. Han surgido todas las complicaciones posibles. Es como una pesadilla permanente.

Luis levantó la cabeza, buscando aire. El labio inferior se ocultó bajo los dientes. No se movió cuando le preguntó:

—Tu pariente ¿cómo está?

—Totalmente recuperado.

Adela se apoyó en la barra del mostrador y le besó en la mejilla.

—¿Es tan grave eso tuyo, Luis?

—Tanto que cuanto menos sepas, mejor para ti —abriendo mucho los ojos—: tienes que creerme.

—Si te molesta, podemos hablar de otra cosa. Me habías dicho que ibas a ver a tu madre. ¿Cómo está?

—Ha tenido una trombosis. No me reconoce. Me llama «señor» y me trata de «usted». Da mucha penita —acompañó un gesto de no querer hablar de eso.

Luis Pons le contó, con poco entusiasmo, que se había comprado un coche. Ese mismo día lo acababa de estrenar. Ahora ya podría llevar a Adela a la Malvarrosa, aunque cuando fueron la primera vez, en el coche de ella, le había gustado mucho:

—Tu dirías «cantidad».

Adela tomó la mano de Luis entre las suyas. Vaciló antes de decirle:

—También lo he pasado muy mal. Mi amiga Elvira me ha apoyado mucho. Ella y Ángel son un cielo. No podía imaginarme que fuese a costarme tanto.

Luis acusó el impacto que le produjo la confesión de Adela. No le salía ninguna frase adecuada al momento.

—¿Qué coche te has comprado?— preguntó Adela, mostrando más desenvoltura.

El nudo de la garganta le desapareció a Luis, para dar paso a la rabia:

—Odio los coches. Son la causa de mis males.

No tomaron nada más. Adela manifestó que tenía que irse pronto a casa: quería quitarse la ropa mojada y prepararse para ir al fútbol.

—Ya ves, quién me iba a decir que terminaría haciéndome del Valencia... Como Elvira y Ángel son muy forofos del fútbol, vamos los tres al Mestalla, a todos los partidos.

Le besó otra vez en la mejilla, despidiéndose.

—Cuídate mucho, Luis.

Vio cómo se alejaba; pidió al barman una copa de ron y se ensimismó en sus pensamientos.

Desde la vuelta de Sicilia no había visto a Adela y el encuentro con la chica le hizo rememorar aquellas maravillosas vacaciones que no podría olvidar. Se cogió la cabeza entre las manos y se abandonó a los gratos momentos en la isla italiana. Sus días en Sicilia habían sido los más inolvidables de su vida. Todos los días y noches que había pasado junto a ella.

Los ojos se le humedecieron cuando recordó el *mensaje* de Adela: «No podía imaginarme que fuese a costarme tanto.»

Mientras le traían la cuenta pensó que también vería el partido, pero por televisión.

Salió en busca del dichoso coche.

CAPÍTULO 28

Boyero estaba explicando a Luis Pons que emplearían la «psicología invertida»: no aparentar excesivo interés por algo que, en realidad, importa mucho.

—Tengo noticias de que los dos sospechosos han regresado a Valencia. Así que voy a comentar los pasos que daremos. Una vez decidida nuestra estrategia, la seguiremos al pie de la letra para no pringarnos de mala manera.

Calló para hacer una de sus estudiadas pausas valorativas. Boyero parecía concentrado en estudiar las reacciones del enfermero.

—No queda otra salida que un cebo.

Luis Pons temía que su interlocutor pensase emplearle a él. El comisario, que pareció adivinarle el pensamiento, creyó necesario aclarar de quién se trataba:

—Nuestro reclamo se llama Alfonso Donato, pero no sé si estará realmente implicado.

—De los dos que estamos aquí hay uno que no sabe nada de leyes. Si cree que puede ir a por el tal Donato —siguió Luis Pons—, allá usted.

Boyero expresó, con gestos, que había considerado su responsabilidad y apeló a una de sus socorridas coletillas:

—No da resultado pedirle a los peces que *hagan el favor* de picar. Hay que poner un señuelo. Y se corre el riesgo de perder el cebo.

—La situación se ha embrollado con el asesinato de Combetes. Tenemos que salir de este laberinto. Ya sabe cómo pienso: soy el que peor lo está pasando porque corro un peligro directo. Usted estará muy curtido en estas situaciones, pero a mí me cuesta familiarizarme con ellas.

Por su cabeza pasaron los últimos acontecimientos: el momento en que el Negociante avisó que se quitaba de en medio. Se repuso y preguntó:

—¿Qué garantías de éxito tenemos?

—Grandes. Garantía total, no hay.

—Pues perdone, pero, si no lo arreglamos con *toda* seguridad, vaya mierda de plan.

—Si no lo intentamos, no lo arreglamos.

El pragmatismo de Boyero acabó con las reticencias.

—Comenzaremos por detener al actor y airear esa detención. Voy ahora mismo a Televisión Valenciana a remover un poco todo esto.

La juez Clara Soldevila expuso al director de Canal Nou que traía una orden de detención contra Alfonso Donato, por su implicación en el asesinato de Pascual Combetes. En una particular variante de la psicología invertida de Boyero, rogó —con la boca pequeña— que las cámaras no filmaran la detención. Tuvo que esperar la lenta reacción del director, para advertirle:

—Lo primordial es que ustedes puedan hacer su trabajo. Para la instrucción no es relevante que las cámaras estén presentes o ausentes, así que podíamos ponernos de acuerdo para el momento de emisión en el Noticiario. Si resolvemos eso no tengo inconveniente en dejarles a ustedes trabajar como quieran.

El retraso voluntario lo tenía previsto Justo Boyero para dar margen suficiente al despliegue de cámaras. El comisario mostró, cínicamente, su desagrado con gestos bien visibles, por la exhibición de medios que él mismo había propiciado.

Se acercó a la juez Soldevilla, le estrechó cumplidamente la mano y le susurró que no se pasase con sus zalamerías. Tapándose discretamente la boca con la mano, «que hay mucha gente que puede saber lo que decimos por los labios»:

—Y ten cuidado, que lo puede ver mi mujer.

Ella, sin mover apenas sus labios:

—Prométeme que tomaremos una copa.

—De acuerdo —como la mujer parecía tener dudas, reforzó su conformidad—: siempre cumplo mis promesas.

Boyero mandó que los policías le pusieran «las pulseras» a Al Donato, ante la atónita mirada del actor de doblaje. Un locutor se situó entre el detenido y la cámara y comenzó a relatar pormenorizadamente cómo le fijaban las esposas, menospreciando la inteligencia del espectador con sus insustanciales aclaraciones. Poco después interrumpían el programa que estaba emitiéndose para anunciar una «última hora informativa».

La juez propuso al comisario tomar un taxi, al que dio la dirección de su casa.

Ya en su domicilio, Clara Soldevilla puso la bandeja con las dos cervezas y el plato de *esgarrat* (pimiento rojo asado, con bacalao y aceite de oliva virgen) sobre la mesita del salón.

Boyero le pidió que subiera el volumen de la música. Cuando la juez se sentó, el policía hizo un gesto de brindis con el vaso y después bebió la helada cerveza.

—Siempre me ha gustado esta época del año. Y el verano. Los mejores recuerdos son de épocas de calor. ¡Los interminables veranos de la niñez!

—Este disco ¿tiene algo que ver con eso? —preguntó ella.

—No, pero es una hermosa canción de Van Morrison. Habla de la belleza de los tiempos que se han ido.

—Eres un exquisito. Es formidable que la profesión no te haya deteriorado el gusto que tienes. Sabes valorar las buenas cosas de la vida.

—Clara, preciosa, qué bien te pusieron el nombre —se quedó mirándola durante la pausa—. Se te entiende todo.

—¡Qué tío eres!: ¡cómo te escabulles en cuanto empiezo a coquetear contigo!

Se acercó más a Boyero y comentó:

—Eso me pone a mil.

—Lo divulgaré para que lo aprendan tus pretendientes.

—No quiero la hermosura de «los tiempos que se han ido». Me interesa el presente y lo que ha de venir. Ya sabes que puedes confiar en mí.

—No sé bien qué es tener confianza. La mía es una generación recelosa.

Clara puso un gesto de extrañeza.

Boyero sonrió y mantuvo el brazo en alto, como pidiendo tiempo para poder explicarse:

—No sé bien si es por la profesión, que te hace desconfiar hasta del día que marca el calendario, pero tengo prevención ante casi todo. Por citarte un ejemplo: antes de llegar a mi casa, al pasar por una de esas rotondas que ahora les ha dado por poner, cuando estoy en ella doy dos vueltas para asegurarme de no ser seguido. A veces me maldigo por tomar tantas precauciones, pero si no hago ese ritual mi desasosiego es mayor.

—Justo, ya sabes que Enrique Sastre está metido en un asunto que se nos ha avinagrado. Es algo muy serio porque, repentinamente y a toda prisa, le obligan a darse de baja y a desaparecer dentro de unos días sin decir a nadie su paradero.

—Es por el caso de Combetes —aseguró el comisario, con un deje triste.

—¿Hasta dónde llega su implicación?

—No lo sé bien, Clara. Creo que se ha manchado hasta las pelotas destruyendo las pruebas de un alzamiento de bienes del que sacó tajada. En judicatura me han pedido que les tendiera una mano, como te lo han pedido a ti. Estoy encontrándome con tantas chapuzas de Enrique Sastre que te puedo asegurar que es un delincuente, que hace mucho tiempo que ha dejado de ser el tipo listo que todos admirábamos. Cada día descubro una nueva implicación suya y me disgusta más esta situación. Creo que se le empezó a escapar de las manos por la intervención de los colombianos. Ha abandonado a un enfermero, al que tenía liado en sabe Dios qué mamonadas, y lo ha dejado con el culo al aire.

—¿Y qué vas a hacer con él?

—¿Con el enfermero? Le hemos «calmado con palabras tranquilizadoras y le hemos dado esperanzas; son las dos trampas en las que solemos caer los hombres»: Voltaire.

—Enrique Sastre se ha portado como un cabronazo. Todos le importamos una mierda. Pero no quiero ser la *Jueza Garzona*... Tú ya sabes lo que me gustaría.

Boyero notaba que su inicial resistencia se iba ablandando ante los ataques directos de la mujer. Dijo, titubeante:

—Clara, por favor... Quiero mucho a mi esposa.

Clara Soldevilla cabeceó, mirando al cielo como impotente ante lo que ella consideraba cerrazón del hombre.

—Eso no tiene nada que ver, Justo.

Se sentó en la moqueta sobre uno de los tobillos, recogiéndose la falda con gracia. Miró el vaso de cerveza y con el dedo juntó dos de las hileras que la condensación había formado, haciendo caer unas gotas de agua sobre la mesa de cristal.

—Desde mi separación no he tenido pareja estable. Los últimos días he pensado que no me importaría compartirte.

—Eso no funcionaría.

—¿Cómo puedes ser tan racional? Te oigo hablar y es como si estuviera oyéndome a mí misma dar una opinión así en mi trabajo. En algunos momentos es mejor olvidarse de compromisos y disfrutar «la belleza de lo presente».

—Podía decir las mismas palabras, porque estoy de acuerdo, pero mi matrimonio va bien. Ese «compromiso» no lo quiero romper.

Boyero se daba cuenta de que poco a poco le iba costando más luchar contra los impresionantes encantos de Clara Soldevilla. A quien, además, tenía que pedir ayuda.

Respiró hondo y trató de salir airoso:

—Creo que eres una mujer excepcional y últimamente me estás demostrando ser una gran amiga.

—Dime qué debo hacer para ayudarte.

Boyero le relató sucintamente la transacción de las naves y esbozó el plan que había expuesto a Luis Pons, para implicar a los colombianos. Cuando el policía terminó su exposición, ella comentó:

—En el temario de las oposiciones no hay ninguna lección sobre cómo la vida enreda todas las cosas. Sería el tema más difícil ¡y ya es bastante horrible examinarse para juez!

Convidó a Boyero:

—Estoy «encharcada», pero necesito que te tomes otra cerveza conmigo.

Sin esperar la confirmación del comisario hizo intención de ir a por la bebida. Se levantó con alguna torpeza y el policía pudo ver una parte de los muslos. Boyero se deleitó: «las oposiciones te han dejado un cuerpo precioso».

De pronto, sintió como si ella hubiese oído su comentario y se apresuró a comentar:

—Siempre me han asustado las oposiciones.

En el pasillo, Clara comenzó a decir:

—Heredé de mis padres lo suficiente como para no tener que pensar en el dinero. Les estoy agradecida por eso; tanto como por la crianza y la educación que me dieron. Es que os veo, a todos, comprometidos en asuntos extraños a causa del dichoso dinero. Incluyo a mi «ex»: siempre pensando en sacarme los cuartos y putearme... Las mejores personas que conozco en ocasiones se comportan como malos concejales de ayuntamiento.

—No te fijes solamente en el «envoltorio». Yo no niego que el dinero está en el fondo del decorado, pero es que las cosas se van complicando. ¡De alguna manera también te estoy metiendo en el lío y no lo haces por las pesetas!

—Soy más clásica. Mis favores los hago por amistad y... por amor.

Se sentó a su lado y comenzó a darle besos.

—¿No te gusto ni siquiera un poquito?

—Eres una mujer capaz de enloquecer a cualquiera.

—De ti me gusta hasta lo que no me gusta.

Boyero dejó que ella llevase la iniciativa; pero, suavemente, iba correspondiendo con delicadeza a sus caricias.

Cuando se despojó con urgencia de su americana, Clara recibió con pasión la entrega del hombre deseado. Lo atrajo hasta la moqueta y comenzó a desabrocharle la camisa, sin interrumpir sus besos, mientras él introducía su mano por la falda.

Boyero sintió crecer rápidamente su deseo cuando la impresionante mujer comenzó a jadear.

Lo abrazó con más fuerza:

—Te necesito; ven ya...

CAPÍTULO 29

Cuando entró Boyero, Alfonso Donato sudaba copiosamente. Como el comisario había mandado apagar el aire acondicionado, la temperatura era insoportable.

—Hace mucho calor aquí —quería reafirmar lo evidente—. Que nos traigan agua.

Se sentó frente al actor de largas patillas.

—¿Quieres alguna cosa?

Donato, pillado por sorpresa, dando por sentado que la petición de agua era también para él:

—No, muchas gracias. A ver si alguien me explica, como es debido, el por qué de esta detención. Tengo que trabajar, para enviar dinero a mi familia.

—¿De cuánto dinero estamos hablando?

—Cien mil pesetas cada mes.

Entró un policía uniformado con dos botellas de agua, sin vasos. Justo Boyero reanudó el interrogatorio:

—Estás ocultando información sobre el asesinato de Pascual Combetes. Son varias las pruebas en tu contra. En el registro de tu vivienda se ha encontrado una pistola igual a la del crimen.

Al Donato, con brusquedad cómica:

—Han encontrado la pequeña pistola que, como ya le dije, me habían prestado para intimidar a mi jefe. Ya sabe, el cuento que nos inventamos. ¿De dónde saca ahora que es la pistola que mató a ese señor si no se ha disparado en muchos meses?

—Tus amigos se pasaron presionando a Combetes. En eso estaremos de acuerdo, ¿no? Y luego algún menguado apretaría el gatillo. Ya se verá en el juicio. Es mejor que colabores.

Abrió los cierres de las dos botellas de agua. Luego, siguió:

—Estábamos en que a los-que-en-cu-bres se les fue la mano «ablandando» a Combetes. Y ya te he dicho que en el registro de tu piso hemos encontrado una *7,65 milímetros.*

—¡No tiene munición, es casi de juguete y no la hemos disparado nunca!

—Donato, me habías asegurado que la usabais para ir de copas —le cortó Boyero, mirándose las uñas de la mano.

—La empleábamos para amedrentar a los dueños de bares; ya le he dicho diez veces la misma vaina —expuso aburrido.

—Estás metido en un lío y, si no me presentas una buena coartada, te procesaré como encubridor en el asesinato de Pascual Combetes.

—Yo no tengo nada que ver. Se lo juro por Dios.

—Y yo te digo, por la Virgen, que un inocente no tiene en su casa una pistola en este país, que no es el suyo. ¿O es que la quieres para llevarla a misa el domingo?

—¡Usted no puede acusarme en serio!

Con una señal apenas perceptible decidió suspender el interrogatorio. Desde la puerta expuso al policía de uniforme:

—Me voy a comer. Estos hijos de puta tienen suerte de que en la madre... —se interrumpió cuando se dio cuenta de que no quedaba bien lo de «madre patria» con lo de hijos de puta—... en España funciona el estado de derecho.

Se volvió hacia el centroamericano:

—Sabía que no valía la pena —trató de ocultar su resentimiento personal—. Eres un bocazas. Y no quiero perder mi tiempo tontamente. Nos veremos cuando hayas terminado de confesarte con el que haya tenido la mala suerte de cargar con tu defensa.

Desde la puerta volvió otra vez sobre sus pasos para llevarse las botellas.

—Es una cantidad demasiado pequeña para lavar tu culpa.

Boyero, recogiendo las botellitas de agua, se fue ante la atónita mirada de Alfonso Donato.

Media hora después, el abogado Antonio Losada siguió al camarero hasta un reservado del restaurante. Sentados en una mesa redonda, Justo Boyero y Clara Soldevilla estaban esperándolo.

La juez le hizo una leve invitación para ocupar la silla vacía, que había apartado el empleado. Cuando éste salió, el abogado Losada, mirando el acolchado entorno y mostrando halago por la música ambiental, comentó:

—Qué alto meáis. Restaurante Eladio, Händel.

—Eres un poco basto, Antonio —reprochó Boyero a Losada—, y se nota que lo que te va son las películas de Torrente. Creo que Su Señoría te sobrestima. Para otra ocasión, si comete el error de invitarte, le sugiero que escoja un chiringuito de playa con música canalla y paella grasienta.

—No seas tan agresivo, Justo. Me ha parecido bien invitaros a este sitio porque es adecuado para hablar y porque os tengo que pedir un favor —la juez dedicó a Boyero una mirada querenciosa—. Cuando te parezca, puedes comenzar a explicarnos el plan.

Aunque Clara Soldevilla había empleado cortésmente el plural, Boyero interpretó que debía referirse únicamente al abogado:

—En Comisaría tenemos arrestado y sudando a un centroamericano. Se llama Alfonso Donato; es un tío gordo que trabaja habitualmente en Canal 9 y lo hace por medio de alguien interpuesto. Lo hemos detenido a ver si nos lleva hasta los que mataron y metieron en un contenedor a Combetes, el exportador de naranjas.

Hizo una breve pausa. Como Antonio Losada se abstuvo de preguntar, reanudó la información:

—Después de que comamos te vas a presentar a él como el abogado de oficio y hacernos un favor: tomarle declaración y apremiarlo para que colabore y delate a los que asesinaron a Combetes. Tienes que emplearte a fondo.

El abogado sacó un bolígrafo de oro del bolsillo interior de su americana e hizo ademán de escribir. La juez le comunicó con un gesto que no era conveniente anotar nada.

Boyero continuó:

—Es necesario que convenzas a Donato de que, si nos lleva hasta los responsables del asesinato, le dejaremos en libertad y tendrá papeles. Es nuestro cebo.

Antonio Losada asintió y alargó la mano para coger el papel que le tendía Boyero.

—Ahí tienes toda la información que precisas. Memorízala, porque tendrás que devolverme el papel antes de irnos.

Tras una superficial lectura, el abogado comentó, moviendo la cabeza de arriba abajo:

—Está bien.

La juez, abriendo los brazos con cierta ceremonia:

—Bueno, guapísimos, vamos a comer; el *maître* me ha recomendado «salpicón de marisco».

CAPÍTULO 30

A las cuatro y media de la tarde, Antonio Losada se presentó como el abogado de oficio que el sistema judicial había asignado para la defensa de Alfonso Donato. El calor era insoportable en la habitación donde estaba retenido Donato, que se hallaba con el torso desnudo. El abogado notó que arrancaba a sudar y pidió que trajesen bebidas.

—Disculpe que no tenga puesta la camisa, señor letrado. Si no llega a venir usted, seguro que me deshidrato.

Losada le explicó parsimoniosamente que la alta temperatura era debida a una avería del aire acondicionado. Con la misma paciencia le pormenorizó que no le iba a cobrar minuta, porque al ser su abogado de oficio sus honorarios se los abonaría el Ministerio de Justicia.

—Tenga mi tarjeta; si necesita ponerse en contacto conmigo, en algún momento, llámeme al móvil.

—Antonio Losada —examinando la tarjeta de visita—: debe de ser usted un buen abogado para tener el despacho en la Gran Vía Marqués del Turia.

—Ha sido usted afortunado. Aunque no está bien que sea yo quien lo diga, en efecto, soy un buen abogado y gano los pleitos que emprendo. Cuando hago el turno de oficio no puedo elegir mis casos, claro, por lo que mi eficacia no es tan resultona.

El actor de doblaje se puso la camisa.

Losada bromeó sobre el cambio de temperatura:

—Ya sabe, parece el conocido truco de la policía: primero calor, luego frío.

El abogado sacó una pequeña grabadora, que activó, un cuaderno y su bolígrafo de oro.

—Me gustaría poder grabar la conversación que vamos a tener. Necesito su expresa autorización para registrar —recalcó— toda nuestra charla.

—Cuente con ella.

—La policía lo ha detenido como encubridor del asesinato de Pascual Combetes. ¿Sabe de quién estoy hablando?

—Sí, aunque no tengo nada que ver con eso.

Antonio Losada pareció mostrarle su comprensión. Detuvo la grabación para advertir al detenido que en la medida de lo posible no se prodigara demasiado en sus declaraciones de inocencia. Volvió a ponerla en marcha y siguió hablando:

—La policía estuvo en su domicilio; en ese registro hallaron un arma, que pudiera ser la que ocasionó la muerte del empresario. Insisto: la pistola se encontró en su casa. Si balística confirma que es el arma del crimen, no sabré fundamentar su defensa. Dígame cómo le voy a ayudar.

—Soy inocente. Le doy mi palabra de honor.

—Todas las noches me propongo tener mucha paciencia.

Se detuvo unos segundos antes de reanudar el interrogatorio:

—Mire, Alfonso, no es muy original que un acusado se declare inocente. Esto es un juego peligroso para usted. Hay gran alarma social y los gobernantes, la policía, todos, necesitan un chivo expiatorio. No se van a detener en pequeñas dudas razonables: con la pistola que le han encontrado pueden condenarlo a treinta años.

—Cada vez lo veo más como me indica, señor.

—Usted sabe algo que no me quiere decir, Donato. Hablemos claro: si me oculta información, me negaré a ser su abogado defensor, con lo que se expone a recibir a un letrado inexperto que no sabrá qué hacer ni qué dejar de hacer con su caso.

—Don Antonio, me tiene que comprender. Cuando uno es inocente... Perdone, le voy a decir que hay dos tipos colombianos a los que he acompañado alguna vez a ir a bares de copas. Ellos me dijeron que habían sido los que mataron a ese señor, pero luego me lo negaron. Ahora están fuera, en Torrevieja. Se llaman...

—No me dé nombres, si no quiere, pero oriénteme para que pueda convencer a la juez que instruye este caso de que es preciso darle una oportunidad para que los delate. Puedo argumentar un «dilema moral»—pareció satisfecho de la curiosidad que la expresión había causado en el centroamericano—. Creo que accedería si se lo fundamentáramos sólidamente.

CAPÍTULO 31

Justo Boyero se mecía al compás de las notas del cuarto movimiento de la Tercera Sinfonía, que sonaba en el CD de su coche. «Qué jodido estaría Brahms cuando compuso esto», pensó.

Condujo el automóvil entre los cañaverales de la vecina desembocadura del río Mijares, deteniéndose en un camino de adelfas cerca de la Playa de Ben Afelí. Paró el coche y caminó por el Paseo Marítimo, que en realidad era una pequeña carretera, para acercarse al mar.

En el muro que separa el Paseo de la arena, había una vieja pintada: «NO a la OTAN».

El día presagiaba el verano.

En la lejanía se oían graznidos de gaviotas. Todavía no estaban ocupadas las casitas de veraneantes; había tranquilidad en el lugar y el aspecto asilvestrado de la zona cautivó al policía.

«Me gusta este sitio», pensó.

En la orilla de la playa, el inspector Villar estaba sentado en una silla de loneta, bajo la sombrilla azul y detrás de cuatro grandes cañas de pescar clavadas en la arena.

Cuando vio a Boyero, le hizo un saludo con la mano, como a la romana.

—Llegas en el momento oportuno, comisario, es la hora de tomar una cerveza.

Se levantó; era alto, robusto y de expresión afectuosa. Sacó dos botes de la nevera portátil, le entregó uno a Boyero y le invitó a sentarse en una silla plegable.

—Te envidio —aseguró Boyero; luego, añadió con calma—: el mar está precioso.

—Me gusta mucho el mar, pero en esta época me hechiza. Lo que yo siento pescando aquí, en mayo, no lo experimento haciendo el mejor viaje que me pudieran ofrecer. Toda la gente se obstina en tomarse vacaciones durante el mes de agosto y yo siempre escojo mayo, precisamente para dedicarlo al pagano placer de pescar.

Sin soltar el bote de cerveza extendió los brazos como para bendecir el mar apacible. Después se levantó un poco el ala del sombrero de paja que llevaba para protegerse del sol.

—Veo que no hay más pescadores —comentó Boyero—. Será porque no hay peces o porque tu presencia ha espantado a los competidores.

—«Peces», como tú dices, no quedan muchos. Yo voy a la dorada.

Boyero abrió la silla plegable que antes le había ofrecido Villar y se sentó a su lado.

—Nunca he sentido deseo de pescar —se justificó Boyero—, pero no me importaría nada estar contigo y compartir esta sensación. Mira, pocas veces he visto tan contrastados el cielo y el agua, en el horizonte.

—Hoy no está la mar como en aquella canción de «en la distancia, parece que se unen». La letra seguramente hablaba de otro momento del día. La mar es cambiante, como la vida.

El comisario comentó que alguien había dicho que la mar era como la música de Bach, siempre igual, siempre distinta.

—Has pescado uno —se sorprendió Boyero.

—Sí, con aquella —Villar señaló una de las cañas, que estaba menos curvada que las otras—. Las doradas se suelen pescar a trescientos metros de la orilla. Por eso me ayuda mi yerno con los sedales. Venimos a la salida del sol, coge los anzuelos con los cebos y se los lleva nadando trescientos metros y los deja allí. Si pesco alguno, esa caña ya no la vuelvo a tirar hasta después de comer, que regresa mi yerno. Se pone unas aletas y en un ratito llega al sitio —señaló un punto que parecía conocer sobradamente—, para dejar de nuevo los anzuelos.

—¿Qué cebo empleas?

—Gusano americano. ¿Por qué?

—Sólo por curiosidad. Un filósofo explicó que se fracasa en la pesca porque el cebo lo ponéis los pescadores sin saber cómo razonan los peces.

—Eso está bien... Mañana se lo contaré a mi yerno.

Boyero se levantó para tocar el agua de la orilla y se acordó del yerno de Villar:

—El agua todavía está fría.

—Para nosotros, seguro que sí. Pero el muchacho es un deportista cachas.

—No abuses, a ver si se divorcia por tu culpa.

—La cuestión es saber qué cosas pueden pedirse y qué otras no hay ni que tocar. Él y yo lo tenemos muy claro.

—Qué suerte tenéis. A mí me vendría bien aclararme; en estos momentos necesito luz más que nunca. Cuando te llamé, el martes, te dije que estaba estancado en lo de Combetes. Tenemos en comisaría a Alfonso Donato desde hace casi dos días; no hemos obtenido ningún resultado; no nos puede decir lo que nos interesaría y, sin su colaboración, nuestra base acusatoria es débil.

—Me parece que te has ceñido sólo al payaso ése. Aprende de mí —sonrió—: yo pongo cuatro cañas. Hay más posibilidades de pescar que con dos.

—No está mal la metáfora, aunque un poco cogida por los pelos —hizo un expresivo gesto con las cejas—. ¿Qué otra caña, según tu criterio, debo tirar?

—Dos cañas, Justo: suelta a Donato, para que te lleve hasta los colombianos, y busca al perro de Combetes, que no ha aparecido.

Boyero emitió un silbido de aprobación.

—Te mereces llenar el cesto con muchas doradas.

—Me vendrían de perilla, porque esta noche tengo siete a cenar.

Rieron abiertamente.

Villar repasó con paciencia las tres cañas tensas. Se sentó de nuevo, cachazudo:

—Aquí se ven las cosas con más tranquilidad. Por eso te dije que vinieras.

—La cerveza estaba muy rica. Tendré que buscarme un *yerno* que me pueda llevar los cebos a trescientos metros.

Se fundieron en un abrazo.

—Villar, sigue disfrutando de tus vacaciones.

—Lo haré, comisario. Te deseo toda la suerte del mundo, porque eres el mejor policía que he conocido.

Por el Camino de la Mar, entre huertos de naranjos, Boyero emprendió el regreso a Valencia.

Desde su móvil empezó a dar instrucciones para que le retuvieran hasta la noche a Alfonso Donato. Después habló con Goyo, otro de los inspectores, y le encomendó remover cielo y tierra para averiguar cuanto pudiera de aquel perro, del que nada se sabía desde el último atardecer de Combetes.

Ya de noche, Boyero se entrevistaba con Alfonso Donato.

—He tramitado tu libertad porque tus confidencias no nos han llevado a la detención de los colombianos que asesinaron a Combetes. Solamente necesito que me firmes la declaración que se está terminando de imprimir.

Donato apenas podía contener la rabia que sentía contra el comisario que tanto había jugado con él.

Poco después el tipo corpulento firmó los folios sin leer el contenido. Boyero tomó las hojas antes de que el actor pudiera pensárselo mejor, guardándolas en el cajón de su mesa.

—Yo en tu lugar no me haría muy visible por ahí. La prensa ha divulgado que tu colaboración ha sido decisiva para el inminente arresto de los asesinos. Si me lo pides, te protejo: eres testigo y puedes ser víctima de algún paisano de Samudio y Fuenmayor.

Alfonso Donato quería su inmediata libertad; hizo un gesto desestimando la protección que le ofrecía Boyero. Sabía que cualquier cosa que hiciera con el comisario le iba a aprovechar muy poco.

Justo Boyero salió del despacho y fue en busca de Goyo a quien pidió que le informase de sus pesquisas en el RIVIA, Registro Informático Valenciano de Identificación Animal, donde figuraba a nombre de Pascual Combetes «un perro montaña de los Pirineos de nombre Muanó, pelo largo, color blanco y de cuatro años de edad». La cartilla sanitaria del animal contenía todas las vacunaciones contra la rabia y desparasitaciones.

Con esa información se había dirigido a la zona del Jardín del Turia más cercana a la vivienda de los Combetes. A última hora de la tarde encontró a algunos paseantes de perros. Eran jubilados a los que no fue difícil arrancar datos sobre las costumbres del dueño de Muanó.

Goyo continuó con su informe:

—Combetes era de ascendencia francesa y llamaba al perro con el nombre de Moineau —lo deletreó y aclaró que significaba *gorrión*—, aunque él lo inscribió con el nombre en castellano. Los perros de esa raza, cuando están sueltos, obedecen mal. Siempre lo llevaba sujeto con un arnés porque es un animal muy fuerte y cuando ve algún otro perro se pone más tenso y agresivo.

Boyero sentía crecer su impaciencia y le instó para que fuera al grano.

—He hablado con dueños de perros, que conocían a Combetes y se veían con él a diario. Me han hecho una minuciosa descripción de Muanó. Al parecer, en circunstancias normales, es muy pacífico y siempre cagaba metódicamente en el mismo lugar. Cuando el dueño podía correr algún riesgo o localizaba alguna perra en celo, se volvía fiero.

—Es estupendo que hayas averiguado tantos detalles, pero parece que estés haciendo una declaración pública.

Goyo se calló, desconcertado. Las palmas de las manos, hacia Boyero, en actitud de aclaración.

—Tienes razón, hombre, te dije que cualquier minucia era importante y, cuando me intentas detallar los pormenores, me pongo borde. Cuéntamelo todo como te parezca mejor.

—Aquella tarde, Muanó se le escapó a Combetes. Los dueños de otros perros recuerdan perfectamente que el perro dio un tirón muy fuerte y salió, con la correa arrastrando, detrás de una perra. Combetes fue en su búsqueda, gritándole para que volviera. Es la última vez que los vieron. Parece que estos perros, si se van demasiado lejos, no saben volver.

—Bueno. A partir de ese momento pudo pasar cualquier cosa. Como que Combetes no hubiera dado con el perro cuando se tropezó con sus asesinos. No sé por qué siempre había imaginado que estarían juntos cuando se toparon con los criminales. Me pregunto...

—¿Qué se sabe del paradero del perro? Hasta ahora no lo han recogido en ningún centro de animales. Si apareciera, he dado orden de que nos lo comuniquen de inmediato; ahora colocan un chip, en la piel del cuello, que los identifica.

—Me gustaría dar con su paradero. Tal vez pueda proporcionarnos alguna pista sobre nuestros colombianos. No lo sé.

Miró detenidamente la cartilla sanitaria y ordenó:

—De momento, repartamos copias de las fotos del perro. Tienes que señalar un teléfono de contacto y ofrecer una buena recompensa. Los Combetes la pagarían gustosamente. Hay que poner a toda la gente disponible a preguntar por ese Muanó.

Justo Boyero adoptó un tono serio, como para no dejar dudas de sus instrucciones, para decirle a Goyo:

—Quiero que te ocupes personalmente de este cometido, con preferencia sobre todo lo que tengas entre manos.

CAPÍTULO 32

Boyero pulsó el mando para cerrar la puerta del garaje, por la entrada trasera de su chalet. Sacó del coche dos paquetes envueltos en papel de regalo y activó el bloqueo centralizado, asegurándose de que estaba cerrado. Le fastidiaba divagar sobre la posibilidad de que los ladrones abrieran la cochera y le dejaran sin vehículo, como a algún vecino que había dejado la llave puesta en el arranque del coche y se había quedado sin él. Sería noticia de primera página en el diario sensacionalista local: «A un comisario de policía le roban el coche en su propio garaje particular».

Estaba cruzando el espacio, que llamaba «jardín japonés», cuando su esposa abrió la recia puerta de madera:

—Buenas, señor Boyero.

A Justo se le alegró la cara. Sabía que cuando ella le dispensaba el trato de «señor Boyero» llevaba implícito un tono de reproche, pero también era indicio de que no estaba enfadada como en otras ocasiones en las que el comisario pasaba alguna noche sin dormir en casa. Boyero muchas veces se negaba a dar justificaciones detalladas y se limitaba a avisar que esa noche no iría a casa. Cuando actuaba así, sin dar explicaciones concretas, ella se ponía de un humor de perros

—Muy buenas, Isabel Borrás.

Con la mano libre asió por el talle a su mujer y le dio un cálido beso. Alargó uno de los dos paquetes hacia ella.

—Para que me perdones por no haberte telefoneado tanto como mereces.

—¡Qué bien!

Despegó con cuidado la cinta adhesiva y abrió la caja de cartón.

—¡Un despertador!

—Ahora serás una mujer «liberada» por lo menos cuando yo no esté para despertarte. También puede avisarte con buena música.

—Prefiero que seas tú quien me despierte.

Boyero sacó una botella del otro paquete y anunció que era vino, regalo de su padre.

—Me ha dicho que también ha puesto un poco de jamón. Nos tomamos una copa y me cuentas cómo os ha ido estos días.

—Me apetece mucho.

Desde el piso de arriba se oyó la voz de la hija:

—Hola, papi. Estoy con el ordenador.

—Hola, *tesora* —Boyero tenía costumbre de emplear cariñosamente la muletilla «tesoro»; con las mujeres, empleaba el femenino—. Voy a tomarme un vinito con mi moza y subiré a verte.

En la cocina, Isabel había abierto la botella de «Muga 1994». Puso sobre la mesa dos copas mientras Boyero fisgoneaba en el correo. Su esposa le adelantó:

—Lo de siempre, facturas y cosas de los bancos. No he recibido una carta-carta desde que eras mi novio.

—¿Qué tal en la editorial?

—Mi trabajo es muy rutinario —hizo un mohín—. Prefiero que me cuentes cosas.

—He estado en el Hospital Levantino, por cosas del trabajo; es muy deprimente. No quiero caer enfermo.

—Lo tendré en cuenta.

—Supongo que a la gente le pasará lo mismo cuando acude a nosotros.

—Porque en la Policía no ponen a los más competentes. Si estuvieras al frente, funcionaría bien.

Colocó las copas sobre una bandeja. Le molestaban las marcas de vino que siempre terminan manchando la mesa.

—Eso, que me pusieran muy arriba —ironizó Boyero— y que el trilero del bigote que tenemos como jefe de gobierno no me diera dinero ni medios porque en sus preferencias prime la enseñanza religiosa o el armamento del ejército.

Se detuvo, contrariado:

—No era eso de lo que quería hablarte. ¡Ah, sí!, del hospital. Hay un follón por el asunto del naranjero que metieron en el contenedor de basura. Mis gestiones me han llevado hasta un enfermero supervisor que le había comprado su almacén. Esas cosas de Sastre.

Miró a los ojos a su mujer. Alguna vez le había dicho que los tenía color gris pizarra; aunque el color de los de Isabel no era exactamente ése, no le importaba. Como había escrito el poeta, a las palabras de amor les sienta bien su poquito de exageración.

—Por cierto, el enfermero ¿sabes cómo llama a Enrique? —se mordió el labio inferior, conteniendo por un momento el deseo de desvelar a su mujer la respuesta—: el Negociante.

—Está bien buscado. Seguro que le gusta mucho —comentó Isabel.

—Eso mismo le dije —juntó su copa con la de su mujer y saboreó con deleite el vino—. A Enrique Sastre se le han puesto las cosas esta vez muy jodidas. Le han exigido que desaparezca porque le ha explotado en las manos la situación.

—Hace mucho que no salimos a cenar con él.

—Pues ya no lo haremos más. No conocía sus tejemanejes profesionales. Como para emplumarlo bien y meterlo una buena temporada en la cárcel. Ha resultado un chorizo. De veras, cariño… Ha dejado plantados a varios jueces. Entre ellos a Clara Soldevilla, que no estaba muy al tanto de sus trapicheos; vamos a tener que colaborar.

—Aprovechará para coquetear contigo.

—Ya sabes cómo es.

—Clara es estupenda.

—Sí, pero tú llegaste antes.

Como si temiera que su cara le fuese a delatar, se incorporó un poco en la silla y besó a su esposa en la frente.

—Subo a ver a la nena —anunció con rapidez.

Su hija tenía abierta la puerta del cuarto; no obstante, Boyero no entró; golpeó ligeramente con los nudillos. La chica dio un salto y se colgó del cuello de su padre.

—Llevas dos o tres días sin venir. Nos preocupas mucho cuando no avisas.

—No veas tantas pelis de Clint Eastwood.

—¡Me gusta verlas contigo!

Su padre la bajó cuidadosamente, con la expresión embobada. La niña continuó:

—Es que parece que supieras lo que va a pasar.

—Es una forma de intuición. Te advierto que juego con ventaja: algunas ya las he visto antes.

—Sabes de sobra lo que quiero decir; es lo mismo que cuando estamos viendo un partido por la tele y le dices al que lleva el balón «aquí» o «arriba». Cuando hacen lo que tú apuntas, hay buena jugada. Eso pasa porque entiendes de todo: de cine, de fútbol...

Boyero miró teatralmente a uno y otro lado de la habitación y, llevándose el dedo a la boca, como imponiendo silencio, susurró:

—Que quede entre nosotros.

El comisario pensó que aquella admiración filial no duraría. Su hija ya tenía once años y pronto comenzaría otra fase de afirmación.

—Podemos ver un video esta noche —le hizo un guiño de complicidad—. Escoge una de *maderos*.

Usó el ascensor como hacía siempre que tenía ocasión. La casa solamente tenía un piso y sin embargo Boyero mantuvo su criterio de poner un ascensor hidráulico porque no quería tener que cambiarse, algún día, de casa por no haber sido suficientemente previsor.

—El ruido del ascensor me hace feliz porque lo identifico contigo —le comentó Isabel.

Había sacado la bandejita de jamón y estaba rellenando las copas de vino.

—¿Quieres que cenemos y nos acostemos pronto?

—Le he prometido a Helena una película —al ver que su esposa hacía un mohín de frustración—. Me apetece que la veamos los tres. Una muy cortita.

Saboreó el jamón placenteramente:

—No conozco a nadie que no le guste el «ibérico». Este país sólo podrá funcionar cuando el sueldo de un comisario de policía le permita comprar, de vez en cuando, jamón de Guijuelo.

—Un buen programa —Isabel levantó su ceja derecha— electoral.

Boyero observó a su esposa, que estaba tratando de colocar las pilas del nuevo despertador. Cuando Isabel terminó con el reloj, hizo intención de dejarlo en el dormitorio. Boyero la siguió. Se sentó junto a ella sobre la colcha de la cama y comentó:

—He hablado con mi padre.

—Me han dicho que se relaciona con una «secretaria» nueva.

—Sí. Parece feliz. Me anunció que se ha comprado una mansión en Southsea, cerca de Portsmouth, y está muy satisfecho de la adquisición: «Es una pasada, está a la orilla del mar y tiene un lago de agua dulce con patos, donde los niños pueden remar». En verano quieren estar allí dos meses y me ha preguntado qué nos parecería si se llevase a la nena con ellos, para que mejore su inglés.

—Helena y él se adoran. ¿Adónde quiere que vayamos tú y yo?: seguro que nos ha buscado entretenimiento —apuntó Isabel.

—Me agobia cuando se empeña en ayudarnos tanto. Va a dejarnos su chalet de la playa durante julio y agosto. Sabe que nos va mal con los fondos del banco. ¡Qué mala inversión de la herencia de mi madre! Mi padre siempre ha sido sobreprotector, pero desde que falta ella no piensa más que en nosotros.

—Bueno, periódicamente, cambia de secretaria —ante el gesto contrariado de su esposo, cogió su mano y se la acarició—. Tienes razón Justo, y no quiero ser desagradable tratándose de tu padre. Sabes que me cae muy bien. Por favor...

—Es un seductor. Siempre ha tenido éxito con las mujeres. Mi madre estaba loca por él.

—Tu madre era la mujer más guapa que he conocido.

Justo asintió:

—Papá quiso tener una hija para que se pareciera a ella.

—Te tuvo a ti, que saliste demasiado guaperas.

El comisario puso otra vez vino en las copas. Comentó:

—Está forrado. Y no para de hacer dinero. Tiene la casa de la Bretaña francesa y ahora se ha comprado otra maravillosa en Inglaterra. Dice que es constructor y no sé que haya hecho ninguna casa; salvo ésta, que era para nuestra boda.

Se detuvo recordando. Continuó:

—Tiene un olfato para negociar envidiable.

Pensó que su padre era un especulador, pero no lo dijo. Siguió con el elogio grandilocuente a su progenitor:

—Siempre he admirado su intuición. Hace muchos años vivíamos en una urbanización de las afueras de Valencia. Teníamos de vecinos a un matrimonio de personas mayores, que venían con frecuencia por mi casa. Un día la señora le confió a mi madre los temores que les afligían a los dos ancianos ante el hipotético fallecimiento de uno de ellos. La buena mujer le expuso su intención de buscarse un piso en la ciudad, para no tener que quedarse el superviviente viudo en aquella casa tan grande, apartada, y que les daba bastante trabajo —Boyero apenas podía contener la risa que iba embargándole—. Cuando se enteró papá de las intenciones de los dos viejecitos, urdió una de las suyas.

Se levantó para encajar la puerta, para que no le oyese su hija. Continuó con el relato:

—Avisó a un amigo constructor y le pidió que llevase materiales de obra a un solar, que era de mis padres, cercano a nuestra casa y la de los ancianos. Aquellos viejales, al ver las hormigoneras, las enormes piezas de las grúas desmontadas y todo el barullo, casi se mueren del disgusto. Mi padre les contó una mentira: les expuso que iban a construir unos cines, bares de ocio y qué sé yo. Les dio un arrebato y se compraron a toda prisa un piso céntrico en Valencia. Después le vendieron el chalet, por cuatro perras, al bribón de papá.

Boyero se detuvo unos instantes. Pensó que su padre tenía un concepto de protección y ayuda de la familia casi mafioso. El comisario sabía que las cosas no eran blancas o negras, que había que navegar constantemente entre dos aguas…

Su mujer lo sacó de aquel atolladero:

—¿Qué dijo tu madre?

—Nunca supo que había sido una artimaña. Por otro lado, ella terminaba perdonándole esas «pillerías». Elogiaba con ceguera todo lo que hacía mi padre.

Miró a su esposa. Isabel levantó las manos, disculpándose:

—Eso no lo puedo hacer yo. Apenas sé lo que haces algunas noches —apuntó, divertida.

Boyero dio un salto en la conversación:

—Al venir en el coche, cavilaba que cuando Enrique Sastre ha empleado información, para su provecho, estaba delinquiendo. Sin embargo mi padre compra a más de un oficial de notaría y a concejales de ayuntamiento.

Bajó el tono de voz, que había subido lentamente, diciendo en un susurro:

—Se está sirviendo de los «chivatazos», que todos los de ese mundillo le proporcionan, y en el negocio de la construcción es una persona respetada. ¡Hasta lo adulan!

CAPÍTULO 33

Inesperadamente sonó el timbre del portero automático en la vivienda de Luis Pons. Contuvo su irritación ante la idea de que se tratase de algún vendedor.

—Soy Alfonso Donato. Necesito hablar con usted, para exponerle un asunto de suma gravedad. Abra la puerta, por favor.

—Iba a salir al cine y apenas tengo cinco minutos.

—Es un instante, se lo aseguro.

—Está bien, suba.

Cuando advirtió que se detenía el ascensor, observó por la mirilla y efectuó un examen a aquel tipo. Era robusto, vestía la clase de ropa deportiva que emplean algunas personas que no hacen deporte y se movía nerviosamente. Luis abrió la puerta y el individuo le tendió una mano sin ningún entusiasmo y con parecida falta de pasión repitió su nombre.

Se sentaron en el salón. El actor de doblaje se quedó un momento inmóvil. Sus labios se curvaron en un gesto que a Luis le resultó grotesco.

—Empezaré diciéndole que tenemos un conocido común: Justo Boyero, el comisario de policía judicial. Le ruego que me escuche con interés, señor Pons, aunque tenga toda la prisa del mundo.

Si lo que pretendía era conseguir la atención de Luis, la obtuvo de inmediato.

—Por circunstancias... han topado conmigo dos personas de Colombia, que ahora van detrás de usted. Han averiguado su dirección y me han coaccionado para que le transmita un mensaje: tiene que —apoyó el dedo índice de la mano derecha en el meñique de la izquierda, señalando que era el primer punto— llamar a su banco —el dedo anular quería indicar el segundo punto— a primera hora de mañana y pedirles que le preparen, en efectivo, dos millones de pesetas —dedo medio, punto tercero— que les deberá entregar a ellos. Dos millones son la comisión que les correspondía por el cobro de la deuda de Combetes.

Alfonso Donato miró a su alrededor, como si en la estancia hubiera alguien que no debiera escuchar lo que iba a decir a continuación:

—Trabajan para una empresa de cobros de morosos y son mala gente. Están ahora en la calle y si no bajo en unos minutos, para confirmarles que usted accederá a sus pretensiones, subirán y montarán un pollo, como dicen acá.

Se detuvo cuando advirtió que había soltado el encargo apresuradamente. Observó la cara de Luis Pons y esperó a que el enfermero dijese algo.

—¡Dos millones! Así, sin más. A ver, explíquese —gruñó.

Donato sacó un cigarrillo del paquete e hizo un tanteo de pedir permiso para fumar.

—Sólo quieren cobrar; es la única razón por la que están ahí. Después de este trabajo se vuelven a Medellín de inmediato. Son profesionales; no son inexpertos como los que tanto abundan ahora.

Luis Pons insistió para que Donato le aclarase pormenorizadamente todo aquel misterioso asunto.

El centroamericano se recostó despacio en el sillón.

—Es muy difícil explicarle lo que está sucediendo porque me parece una pesadilla. Aunque hace algún tiempo que los conozco, ignoro casi todo sobre los dos sujetos que están abajo. Me han exigido a punta de pistola que suba a su casa, don Luis. La peor gente que he visto en mi vida. Con el tiempo que llevan en España no sé si se les puede relacionar con la muerte de Combetes.

Se detuvo para aspirar ansiosamente el cigarrillo.

—Tiempo atrás —siguió relatando Donato— formé pandilla con esos dos colombianos; como en cierto momento consideré que eran los ejecutores directos de Pascual Combetes, los denuncié a la policía.

Relató pormenorizadamente su propia detención y la posterior puesta en libertad.

—Sabía que estaba en el objetivo de los asesinos porque los policías me soltaron para comprobar si me buscarían los «paisas»: así llaman a los de Medellín. A poco de salir, efectivamente me localizaron. No me pregunte cómo dieron con mi paradero. Forman una red. El caso es que me obligaron a ir al Registro para averiguar quién había comprado el local de Combetes y ahora me han intimidado para que sea su portavoz ante usted.

El actor de doblaje apagó su cigarrillo. Se aclaró la garganta y resopló:

—Deben estar muy nerviosos por mi tardanza.

—¿Y si no accedo a sus pretensiones?

—Ya sabe lo que le pasó al señor Combetes. Llame a su banco mañana prontito. Ellos irán a encontrarse con usted a donde me diga. Han insistido mucho en que, si hace todo como piden, no le sucederá nada.

—Puedo avisar a la policía.

—Es lo primero que me han advertido. Si usted se va de la lengua, su hermano lo pagaría muy caro.

—¿Mi hermano?

—Tienen todos sus datos, sacados del registro.

—¿Cómo puedo tener seguridad de salir ileso con unos tipos así?

—Por sentido común. Me parece que tenían que percibir cada uno un millón de pesetas, como comisión por el *trabajo* de aquella deuda de Combetes. *Versiones indican* que no lograron la comisión y se la exigen a usted a la brava. Dos millones: ¡para ellos es mejor que atracar sucursales de bancos!

Luis Pons, después de algunas vacilaciones, concertó con Donato que el encuentro sería hacia las nueve de la mañana, en el hospital. Una vez que el extraño visitante se marchó, se sentó en el sillón y se llevó las manos a la cabeza; sentía terror por lo que le esperaba al día siguiente.

La ropa que llevaba para salir al cine se la cambió por otra más cómoda y se preparó una tónica con ginebra. Desde la ventana observó que los coches seguían transitando como enloquecidos, igual que cualquier otro día. Pensó que esa rutina debería tranquilizarle: la vida transcurría ajena a su drama personal y se dijo que a él mismo le podían

suceder cosas peores. Mientras daba pequeños sorbos a la bebida, se convenció de que tenía que
entregar el dinero, sin por ello dejar de estudiar la
forma de detener a los dos extorsionadores.

CAPÍTULO 34

Alfonso Donato encendió un nuevo cigarrillo con el que estaba fumando. Lanzó una bocanada de humo, aplastó la colilla y la pisoteó con su zapatilla de tenis. Se levantó del banco del paseo y caminó unos metros sin alejarse del lugar del encuentro con los colombianos. Necesitaba tomar una copa, pero no quiso contrariar a los dos tipos que esperaba. Volvió a sentarse y miró su reloj: «¿Dónde se habrían metido?».

Levantó la mirada al cielo. Una gran nube negra cubría el sol. Llegaba desde encima de la cabeza de Donato hasta casi la línea del horizonte. Parecía más tarde de lo que en realidad era.

—Señora, si no le gustan mis principios...

Se volvió. Había hablado Manuel Antonio Fuenmayor, el colombiano de tez morena que siempre reía; llevaba una chaqueta de cuero sin mangas.

—¿Cómo era aquello?

Donato imitó la voz de quien dobló al español a Groucho Marx:

—«Señora, éstos son mis principios; pero si no le gustan, tengo otros».

Los dos colombianos celebraron ruidosamente la interpretación.

—Es muy bueno, ¿verdad, Germán? —declaró el moreno de la chaqueta de cuero, que se reía abiertamente.

Su paisano Germán Samudio en ese momento acusaba más su estrabismo. Llevaba pantalones de pana oscura y una sudadera blanca con una leyenda en la que expresaba su amor a Nueva York.

—Dan ganas de darle una propina —confirmó entre risas.

Se pusieron los tres en marcha hacia donde habían dejado el Seat Ibiza de los maleantes. Estaba oscureciendo prematuramente por la tormenta que se preparaba.

Fuenmayor se dio la vuelta y gritó:

—¡No! Ven.

El perro acudió a su lado.

—Este chucho va equivocado. Atiende cuando le dices «no».

El actor propuso tomar una copa y contarles su entrevista con el enfermero.

—Buena idea, conozco un sitio tranquilo en las afueras.

Fuenmayor abrió la puerta del maletero y el perro se metió dentro, con agilidad.

—Me dijeron que no se moverían de aquí.

—Era para «persuadirte» —se volvió jocoso hacia el asiento de atrás, donde estaba Donato— o «disuadirte». Explícamelo otra vez, Pico de Oro.

El doblador miró por el retrovisor, esperando la reacción del conductor.

Le habló la voz cortante del colombiano bizco que amaba Nueva York; estaba sentado al lado del chófer y tenía la expresión de los gángsteres de película que quieren ser cautelosos:

—Vamos, hombre, vuelve a explicárselo, que va a pagar las copas.

—Disuadir es desaconsejar, quitar de la cabeza. Persuadir es convencer. He convencido al señor Luis Pons para que llame a su banco y saque el dinero. Todo está arreglado. Ustedes dos deberán acudir al Hospital Levantino, al Pabellón de Rehabilitación, donde trabaja este señor; es supervisor. Ha aceptado seguir al pie de la letra todo el plan.

El colombiano de mirada torcida y sudadera blanca se mordió el pulgar y cabeceó con signo de negación. Pareció pensarse lo que iba a decir:

—Así y todo no te has ganado la plata que acordamos —amenazó con voz áspera.

—¿No? Fui al Registro, averigüé los datos del comprador de la nave y todas sus propiedades y las de su familia. Les he realizado ahora el encargo convenido: ¡es mi parte del pacto!

—Tu ropa huele a pasma. Nos preocupa por qué han *engavetado* la investigación de tu caso. Los maderos hacen *escogencias* inteligentes. Seguro que te han soltado de la *universidad* por algún pacto que acordaron y el que hace de *sapo* una vez, puede hacerlo más veces.

—No me he chivado, te lo repito una vez más. Los policías quizás no saben quién mató al naranjero, pero están convencidos de que yo ni tengo que aparecer en el reporte —declaró pronunciando con cuidado cada palabra.

—Y por hacer un trabajo tan liviano como ése ¿creías que te íbamos a dar medio millón? En Colombia, cuando nos hablan de los planes norteamericanos para acabar con la guerrilla, decimos: «Los gringos ponen las armas; los colombianos, los muertos». En España usan la misma estrategia que los yanquis: la peor parte es siempre para los pringaos. Tú has aprendido pronto lo peor de estos *gallegos*, pero te has equivocado con nosotros: ahora tú eres el primo. Dale todas las vueltas que quieras, que no me vas a *persuadir*. Quiero que te enteres que no me gustan —habló enseñando muchos dientes— los delatores.

El sonriente de chaqueta sin mangas, Fuenmayor, dejó la carretera principal y tomó uno de los caminos laterales, entre los naranjos.

Un relámpago lejano iluminó en el cielo los bordes de la nube negra.

Poco después, el conductor detuvo el coche y apagó las luces de posición.

—Éste parece un sitio tranquilo. Bajemos.

Alfonso Donato trató de aferrarse al asiento. El colombiano bisojo le puso su pistola bajo la sotabarba y le hizo un gesto enérgico para que saliese del coche.

—Vacía tus bolsillos.

A Donato se le dilataron mucho los ojos y comenzó a dejar las cosas sobre el capó.

—Esa mierda de documentación también — ordenó Samudio.

—La necesito, aunque sea falsa —con tono enérgico—: a vosotros no os sirve para nada.

Germán Samudio apretó el gatillo y Alfonso Donato cayó como un muñeco.

En el suelo, lo remató con otro tiro.

—A ti tampoco te sirve ya de nada.

Fuenmayor abrió el maletero y el perro blanco salió husmeando los restos de sangre. Después fue hacia una de las ruedas y orinó.

Retiraron el cadáver de la carretera hasta la acequia del riego de los campos de naranjos y después subieron al coche, repitiendo la operación de meter al perro en el maletero. La oscuridad era intensa y comenzó a llover con mucha fuerza. Tras algunos intentos, encontraron la carretera principal para regresar a Valencia.

—El tipo llegó a creerse que le pagaríamos. Nos esperó y todo —sostuvo el que amaba Nueva York.

—Cómo pesaba el condenado.

—Paisano, verás, estoy caviloso. Podríamos averiguar en la Compañía quién les encargó cobrar la plata del naranjero. ¿Qué tal si lo pensamos?

—Olvídate. Esta gente que ha contratado los servicios *de nosotros* conseguiría que nadie nos diera trabajo; seguro que nos buscarían hasta en el infierno —opinó el sonriente de la chaqueta de cuero sin mangas.

—Este trabajo ha sido exitoso. Y un millón para cada uno está bien.

Fuenmayor puso las manos sobre la espalda de su compatriota y le comentó entre risas:

—Resulta chocante que hace un poquito largases esa diatriba contra los yanquis, llevando esa camisa de Nueva York.

Samudio se miró la leyenda de la sudadera blanca, como si no hubiera reparado en ella hasta ese momento.

—El «galleguito» enfermero se nos cagó; y mañana cobraremos...

Se frotó las manos y, con la misma energía, apuntó:

—Ahora sí que nos tomamos esa copa. A ver si ves un bar de *perras* y lo celebramos.

CAPÍTULO 35

Luis Pons levantó los ojos del periódico que estaba leyendo en su despacho. Su mirada se encontró con la de un hombre moreno de apariencia sudamericana y con un esbozo de sonrisa, que le observaba desde el pasillo. Llevaba una camisa a cuadros, de *leñador*. El supervisor trató de proseguir la lectura, aunque la inquietud le impedía hacerlo.

El individuo no le quitaba ojo.

El hombre que sonreía entró en el pequeño cuarto que era el despacho de Luis. Ahora lo acompañaba otro sujeto ojituerto con camisa azul oscuro y aspecto hosco, que se secó el sudor de la frente con el dorso de la mano.

—Buenos días. Somos los de Medellín que tenemos que hablar con usted —cerró la puerta y echó el pasador—. ¿Le importa que cerremos?

Luis no articuló palabra. Movió la cabeza afirmativamente y con gesto torpe los invitó a sentarse.

—Imaginamos que ya habló con la gente de su banco y les ha pedido los dos millones de pesetas en efectivo, que no sean billetes nuevos.

El bizco de camisa azul sacó una pistola y se entretuvo mirándola. El tipo de la sonrisa prosiguió:

—Esperamos que usted sea una persona inteligente. Tenga en cuenta que si nos mira con mucho detenimiento a la cara o hace preguntas y se las contestamos, no será bueno para usted. Siga al pie de la letra nuestras instrucciones y no sufrirá ni un rasguño.

El individuo estrábico añadió fieramente y con los ojos entornados:

—O dicho de otro modo: cuanto más sepas, menos vivirás.

El sonriente volvió a tomar la palabra:

—Lo primero: tiene que preguntar —señaló el teléfono de sobremesa— si en el banco ya está el dinero a punto.

El supervisor mostró su conformidad.

Antes de coger el teléfono Luis se secó la mano en el faldón de la bata —«hace calor», aclaró—. Buscó el número en la libreta de mesa y marcó.

—Con Paco Ruiz... de Luis Pons.

El individuo de la camisa azul empuñó con firmeza su arma y miró de forma conminatoria al supervisor, que comenzó a hablar:

—Hola, Paco... Bastante bien... Te lo agradezco mucho. Hasta ahora.

Luis Pons colgó y miró al individuo risueño, rehuyendo al pistolero.

—Buen chico —dijo el colombiano con camisa de leñador. Gesticuló al compañero hosco para que ocultara la pistola.

—Mi compadre vigilará que no haya nada sospechoso. ¿Lo ha entendido bien?

—Perfectamente. Haré todo lo que ustedes digan. Voy a coger mi cartera para sacar el dinero del banco.

Abrió el armario de cristal, apartó algunos frascos de considerable tamaño y sacó la cartera negra que estaba detrás de ellos. Se entretuvo recolocando el estante y en el espacio libre que había dejado la cartera colocó de forma ostensible una máquina de fotografiar.

—La tengo en mucha estima —comentó para justificar su gesto.

—Déjemela.

Luis le entregó la *Nikon F-4*. El colombiano *leñador* de sonrisa permanente sopesó la máquina.

—Esto debe valer una platita. ¿Está cargada?

—No —manifestó Luis.

Abrió la máquina y se la mostró. El espacio reservado para el carrete estaba vacío.

Los dos hombres se entretuvieron examinando la voluminosa Nikon. Mientras tanto, Luis terminó de manipular las cosas de su armario y cerró la puerta de cristal.

—¿Qué carajo lleva ahí?— preguntó el sonriente leñador.

—Un sobre. Tengo que enviar una llave esta mañana, sin falta.

Los colombianos se miraron desorientados. Luis continuó.

—Es para una chica que fue mi novia. Es la llave de su piso, que se la tengo que devolver.

Les alargó el sobre, que estaba abierto.

—«Adela Portolés» —leyó el tipo hosco—. ¿Es su muchachita?

—Fuimos novios. Me dejó.

—¡Qué vaina! Y el *hijoeputa* le devuelve la llave —sostuvo el bizco.

Mientras sacaba el contenido, él mismo leyó el sobre:

—«Televisión Valenciana». Trabaja en *tevé*. Será linda.

La carta contenía un pequeño objeto de color morado. Lo examinó detenidamente y leyó la inscripción:

—«Memory Stick». ¿Qué es eso?

—Es una llave de memoria. El último adelanto. La puerta sólo se puede abrir con esto.

El colombiano de mirada estrábica movió la cabeza en señal afirmativa. Una nota escrita en un cartón blanco llamó su atención:

—A ver qué chiva es esto.

—Una nota personal —advirtió Luis y aclaró—, una poesía:

Ven cuando sufras. No llames
La llave que te doy es para siempre.

—¡Pendejadas! No hay una pava que se merezca una poesía.

—Filósofo —le cortó el sonriente de camisa a cuadros—, se hace tarde. Tomaremos los tres un taxi, hasta los alrededores del banco. Allí entrará usted únicamente y nosotros estaremos fuera. Cuando salga con el dinero, vaya caminando hasta que nos pongamos a su lado. No dejará de andar, como si no pasase nada, y no se entretenga con ninguna vaina. Todo bien claro.

El adusto *filósofo* devolvió el sobre a Luis, advirtiéndole:

—Abra la puerta y, cuando esté despejado, avísenos para salir. Con normalidad.

Luis Pons cerró el sobre con cuidado. Salió y comprobó que había poca gente en el pasillo. Hizo una señal a los dos colombianos y cerró la puerta con llave. Con la misma mano que llevaba la cartera cogió el sobre para Adela.

En la calle, antes de la parada de taxis, encontró un buzón de Correos y depositó la carta. El tipo hosco, haciendo aspavientos, mostró a Luis su desacuerdo con los comportamientos sensibleros; el colombiano de tez morena le dedicó al enfermero una sonrisa cómplice.

Aguardaron hasta que les tocó el turno de taxi. Se pusieron los tres en los asientos posteriores y salieron hacia el banco.

CAPÍTULO 36

Justo Boyero telefoneó al Registro de la Propiedad pidiendo que le pusiesen con Águeda, la persona a quien Enrique Sastre había transmitido pormenorizadamente todas las instrucciones: en el caso de que alguna persona solicitara información sobre el almacén de Combetes había que avisarle sin dilación.

El comisario se levantó bruscamente de su silla cuando el comunicante le advirtió que Águeda llevaba unos días sin ir a trabajar; colgó el teléfono con rabia y cogió la americana de su perchero.

Un tanto desesperado, bajó rápidamente las estrechas escaleras y, cuando llegó a la calle, la cruzó entre el intenso tráfico buscando un taxi.

En el Registro, buscó directamente al responsable de la oficina y le expuso su preocupación porque las órdenes de Enrique Sastre no se hubiesen seguido al pie de la letra. El atribulado funcionario del Registro corroboró los temores de Boyero por cuanto nadie había sido informado de la existencia de aquella orden.

—Necesito que suspendan las informaciones que tengan pendientes. Hay que comprobar todas las consultas hechas a este Registro en los últimos días, para ver si alguna requería noticias sobre el almacén que le he dicho. Póngame a todo el mundo a trabajar ahora mismo. Que no se haga otra cosa. Olvídense de salir a almorzar o necesidades que puedan aplazarse. Este asunto es gravísimo y de la máxima prioridad.

Todas las pantallas empezaron a volcar datos de las consultas.

Hacia las once de la mañana, el responsable se acercó triunfante a Boyero:

—Lo tengo: el martes solicitó información sobre ese local comercial el señor Alfonso Donato.

El policía no le dejó terminar. Le arrancó bruscamente el papel de la mano y salió a toda prisa en busca de otro taxi. Desde el coche, hizo una llamada por su teléfono móvil a la juez Clara Soldevilla, informándola del cariz que estaba tomando el asunto.

Telefoneó también a la Comisaría preguntando por Goyo y le informaron que en ese momento no estaba, pero que le había dejado un mensaje en su casa. Cada vez más contrariado, el comisario marcó su número particular.

Le contestó su esposa.

—Lo siento, Justo, ya hace un rato que me ha llamado Goyo, pero yo no podía comunicar contigo. Dijo que salía corriendo hacia el Hospital Levantino. Le han avisado que acaban de dispararle a ese enfermero conocido vuestro.

—¿Le han disparado en el hospital?

—Así parece. Te ha llamado al móvil y no estabas disponible.

—Gracias, Isabel, iba precisamente para allá. Tengo que cortar. Un beso.

El taxista parecía seguir todas las llamadas del cliente.

—Policía, ¿verdad?

—Por favor, procure darse toda la prisa que le sea posible.

Ante el pabellón de Rehabilitación había gran revuelo y varios coches de la Policía Nacional.

Al ver a Boyero bajar del taxi, un policía uniformado lo saludó llevándose la mano a la sien, sin marcialidad militar. Rápidamente le precedió hacia la muchedumbre acumulada en la entrada y, cuando llegó a la puerta, advirtió a sus compañeros:

—De Homicidios.

A medida que iban avanzando, otros agentes se cuadraban a su paso.

Justo Boyero vio llegar a Goyo y ordenó a los policías:

—Que despejen todo esto rápidamente. Tenemos que trabajar.

Estrechó la mano de Goyo y le hizo un ademán para que le siguiera.

—Están con él en quirófanos.

En el suelo del despacho de Luis había profusión de cristales rotos, procedentes de las vitrinas. Junto a la silla del supervisor, un charco de sangre. Boyero se fijó en los restos de barro seco que había en la otra parte de la mesa.

—Le han disparado cuando estaba sentado. El tiro en la sien llevaba intención de rematarlo. Toda esta escandalera —haciendo círculos con el dedo, alrededor de la pequeña habitación— supongo que será para confundirnos. No ha habido testigos. Los casquillos pueden ser del nueve milímetros. Aquí al lado está una enfermera, que ha sido la primera que acudió.

Boyero siguió a Goyo hasta la habitación vecina. María Jesús estaba acompañada de otra enfermera. Cuando vio entrar a los dos hizo un esfuerzo para comenzar su relato. La animó Boyero:

—Cuéntenoslo con todos los detalles, por favor.

—A eso de las nueve vinieron dos, con mala pinta. No eran corpulentos, como los de las discotecas, aunque ya digo que con muy mala traza. Aquí se encerraron con Luis. Después se ausentaron los tres un buen rato. No me di cuenta de que hubieran vuelto.

Levantó la cabeza señalando hacia el despacho de Luis Pons.

—¿A qué hora lo encontró usted?

—Exactamente no lo sé. Hará algo menos de una hora. Estaba en la 148 y oí como una traca. Me pareció una barbaridad una traca en un hospital, pero ya sabe cómo somos en Valencia...

Las miradas de Goyo y Boyero se cruzaron elocuentemente.

—¿Quién podía pensar una cosa así? Cuando vi la vitrina rota creí que le habrían pedido drogas, se negaría y lo acribillaron. Cayó mal y se golpeó en la cabeza.

—¿Cuántos disparos —preguntó Goyo— le pareció oír?

—Cinco o seis. Ahora que lo pienso hubiera sido una traca muy corta.

—¿Sabe si Luis hizo alguna llamada?

—Una al banco, a primera hora. No sé para qué llamaría...

—Nos ha sido muy útil, pero le tenemos que pedir que no hable de esto con nadie más. Ni prensa ni policías ni nadie. Tenga mi tarjeta, por si se acuerda de algo que estime interesante. Si otra persona quiere aportar detalles, me la remite a mí.

Le puso la tarjeta de visita en la mano y le dio unos golpecitos de ánimo.

Boyero, desde el mismo teléfono, activó la rellamada al banco y cursó instrucciones para que averiguaran si en la cuenta de Luis Pons se habían registrado movimientos importantes en las últimas horas. Terminó pidiendo que esa información se la comunicaran al número de su móvil.

Mientras tanto, Goyo pudo hablar con el Doctor Piquer, que seguía de cerca la evolución del herido. Jaime Piquer le comentó al policía que un acto reflejo del enfermero seguramente le había salvado la vida. Al mover la mano, pudo haber desviado unos centímetros la bala dirigida a su corazón.

—La bala en la cabeza no parece haber causado daños graves, pero al caer, se golpeó en el lado izquierdo del cráneo; en esa parte del cerebro está el área del lenguaje y puede haberse producido algún trastorno del habla: disartria, apraxia, afasia.

Temían que no pudiera hablar o tardase meses en articular algunas palabras. Era muy pronto para saberlo, aunque las primeras exploraciones contemplaban esa posibilidad. Se ocupaban de él los equipos de neurocirugía y de tórax.

Piquer terminó su información con el comentario de que el supervisor había tenido mucha suerte de que le dispararan en el hospital.

Goyo trasladó las noticias a Boyero, omitiendo la incoherencia de Jaime Piquer.

El comisario estuvo dando instrucciones al especialista encargado de las huellas para que pusiera especial cuidado en las posibles pisadas de zapatos. Fueron interrumpidos por la llegada de los *cámaras* de televisión y periodistas. Boyero decidió comunicar que la agresión al enfermero se produjo al oponerse Luis Pons a entregar productos a algún drogodependiente. La hipótesis policial avanzaba por ese camino, aunque todo era muy confuso.

El comisario encargado del caso tardó bastante en personarse para hacerse cargo de la investigación. Boyero le comunicó a su colega que conocía a Luis Pons y le puso al corriente del asunto de Combetes, abundando en la hipótesis del atraco para conseguir alguna droga. El comisario dejó el caso, de buen grado, en manos de Boyero.

Algo más tarde, le comunicaron los datos, que, a través del Banco, había conseguido la policía: Luis Pons había retirado dos millones en efectivo aquella mañana. En ese momento, Boyero y Goyo, con visibles muestras de preocupación en sus rostros, abandonaron el hospital.

En la comisaría de Gran Vía Fernando el Católico los esperaban los más fieles colaboradores de Boyero.

—Villar viene hacia aquí.

—Está de vacaciones. ¿Por qué coño le habéis molestado?

—Han encontrado muerto esta mañana al centroamericano ese de Televisión Valenciana, cerca de Moncada.

—¡Joder...!

—Dos disparos: uno al corazón y otro tiro de gracia. Nos pareció que debíamos decírselo a Villar porque él le metió en el caso. Se fue esta mañana directamente al lugar de los hechos; hace un momento ha llamado y confirmó que ya viene hacia aquí.

—Vale, gracias.

Justo Boyero entró en el despacho seguido de Goyo. Se sentaron uno frente al otro y permanecieron callados unos segundos.

—Por la noche mataron a Alfonso Donato y luego se fueron a por Luis Pons, lo obligaron a retirar el dinero y lo acribillaron.

—Justo, ¿por qué deduces que fueron más de uno?

—Tanta actividad requiere al menos dos personas.

Se levantó, abrió la puerta y advirtió en voz baja:

—Cuando venga el del banco, me avisáis enseguida.

Boyero se llevó la mano al bolsillo de su camisa y sacó el teléfono móvil, que había comenzado a vibrar. Era la secretaria de Clara Soldevilla.

—Bien, pásamela. Águeda, usted no cursó las instrucciones de Enrique Sastre y esa negligencia puede costar la vida de una persona, que está en coma. — escuchó unos segundos y después gritó enojado— ¡Eso quiero, que me lo explique!

Mientras escuchaba las justificaciones de la funcionaria del Registro, Boyero, mantuvo la mirada en el techo. Al cabo de un rato, pidió a Águeda que le pasase de nuevo con la secretaria de la juez. Le agradeció su rápida gestión para localizar a Águeda y le preguntó si había alguna novedad. Se despidió indicándole que lo llamase a su teléfono móvil, cuando fuera necesario.

En tono enfurecido, se dirigió a Goyo:

—Para que veas con qué medios tenemos que trabajar: me ha asegurado la chica del Registro que en la ficha del almacén de Combetes había consignado que se denegase cualquier información y que se avisase urgentemente a la juez Clara Soldevilla, etcétera. Pues bien, el ordenador o como se llame ese carromato que allí tienen, sin que nadie se lo pueda explicar, no dio el aviso. Un fallo más del «sistema».

Más apaciguado, comentó después:

—Cuando Donato supo que Luis Pons era el comprador de la nave, pidió información de todo el patrimonio a su nombre; parece que Luis y su hermano son copropietarios de una casa en su pueblo. O sea, que los colombianos tienen los datos del hermano.

El empleado del Banco, Paco Ruiz, entró acompañado de un policía. Boyero continuaba con su disgusto crónico contra los bancos y le preguntó, sin ofrecerle asiento:

—¿Luis Pons le telefoneó para que usted le preparase dos millones en efectivo? Cuéntenos todo, sin escatimar detalles.

—Me llamó esta mañana. Yo acababa de entrar en el banco. Me hizo algún comentario referente a que era para una compra inmobiliaria. Un ratito después me telefoneó para comprobar si ya estaba preparado. Casi a las diez, vino hasta mi mesa, me dio el cheque y le entregamos su dinero.

Como no le hacía ninguna pregunta, Ruiz añadió:

—Iba solo.

—¿Recuerda si contó el dinero en su presencia? —interrogó Boyero.

—No. Con toda seguridad.

—¿Le pareció que estaba nervioso Luis Pons?

—No... Como todo el mundo cuando se va a retirar una importante cantidad en efectivo. Una cosa me llamó la atención: en su primera llamada me preguntó si podía entregarle billetes que no fueran nuevos y eso no suelen pedirlo nunca.

Boyero hizo un gesto a Goyo, por si quería preguntarle algo y, ante la negativa del policía, despidió al empleado de banca con la misma frialdad que había puesto en el recibimiento.

No se había cerrado aún la puerta, cuando entró el inspector Villar. Boyero lo saludó cariñosamente, diciendo algunas frases para lamentar haberle interrumpido sus vacaciones. El recién llegado comenzó su información:

—Lo mataron anoche; en una carretera estrecha, entre naranjos. Aunque la lluvia de la tormenta ha borrado un poco las huellas en el huerto, parece que fueron dos, con un perro. Hay muchas huellas de pezuñas grandes. Apenas se esforzaron en ocultar el cadáver en la acequia de riego de la orilla. Por lo demás, muy profesional.

—Muy eficaz.

—Seguramente. Un tiro en el pecho, a quemarropa, y otro en la sien. No llevaba nada en los bolsillos, pero tenía una pequeña cartera oculta en el cinturón, de las que se llevan en los viajes, con una importante cantidad de dinero y una documentación falsa. Hay que joderse. No puedo entenderlo. Esas cosas solamente debían pasar en el cine.

Encendió un cigarrillo. Declaró:

—No te sepa mal, Justo, pero esta muerte se veía venir. Desde el momento en que el picapleitos Losada advirtió que no se podía sustentar la acusación de Alfonso Donato contra los colombianos, era carne de cañón; se veía venir que, en cuanto lo soltases... Sabes el aprecio que te tengo como persona y mi admiración como profesional, pero cuando veo una víctima, se me llevan los demonios. Nos deberían juzgar por lo que hacemos y por lo que provocamos.

Boyero permaneció callado, para no interrumpir las apasionadas palabras del policía. Cuando se detuvo, intervino:

—Mira, Villar, posiblemente los mismos que mataron ayer al locutor han disparado esta mañana a un conocido mío: un enfermero, supervisor del Levantino, de treinta y cinco años. A Donato lo han liquidado por chivato, aunque sabía menos de lo que aparentaba, y a mi conocido porque le exigirían droga o quién sabe por qué.

Villar buscó el cenicero y se sentó en la silla más próxima a la mesa, dispuesto a seguir escuchando. Boyero continuó:

—Parece que dos tipos colombianos asesinaron a Pascual Combetes. Este hombre tenía abundantes números rojos; alguno de los deudores de Combetes encargó la gestión de su cobro a una empresa de morosos, para que atemorizaran al exportador y obligarle a pagar. Según nuestras informaciones, los «empleados» de la Agencia de Cobros se excedieron en las presiones, lo mataron y se deshicieron del cadáver de una forma horrible. Alfonso Donato, que nos había facilitado el soplo, es hallado hoy muerto de una manera que se asemeja a una ejecución. Todo parece indicar que los mismos asesinos de Combetes han matado al actor de doblaje. En este laberinto hay sólo un itinerario que es el bueno. Hay piezas que no encajan en la investigación, pero si profundizamos en esta hipótesis, seguro que podremos esclarecer el caso.

—¿Qué papel representa el enfermero, tu conocido? —preguntó Villar.

Le respondió Boyero:

—Es el que compró la nave de Combetes. Posiblemente los asesinos del exportador le encargaron a Donato que indagara en el Registro quién figuraba como comprador oficial del almacén; Donato lo averiguó y se lo notificó a los criminales y eso le costó la vida.

—A Donato lo liquidaron porque era un soplón —apuntó Villar.

—Y para no pagarle lo que le prometieran al pobre desgraciado. Sí, pensarían eliminarle porque se chivó a la policía. Goyo me comentaba hace un rato que algo extraño debió de suceder entre mi amigo del Levantino y los tipos que le dispararon. Es primordial indagar todos esos aspectos.

—El enfermero era un cebo —apuntó el inspector.

Boyero parecía muy concentrado. Levantó un poco las dos manos, como pidiendo que no lo interrumpieran, y continuó:

—A ver, vayamos por partes: a Luis Pons lo visitaron dos pistoleros y le obligaron a entregarles dos millones de pesetas. Parecía clara la intención del enfermero de acceder a sus amenazas porque ni ofrece resistencia ni avisa a la policía, ni desaparece. En el caso de Donato, lo que le pasó me parece más congruente con la forma de actuar de esos sicarios, pero con Luis Pons se me mezclan los móviles.

—No habréis podido hablar con el enfermero, supongo —apuntó Villar.

—Tiene un disparo en la cabeza. No se sabe si, cuando recobre la conciencia, habrá perdido el habla; pasarán varias semanas antes de que lo sepamos, en el mejor de los pronósticos —apuntó Boyero, visiblemente contrariado.

Justo Boyero le ofreció otro cigarrillo al veterano inspector.

—Voy a seguir dándole vueltas, Villar. Si el enfermero no alertó a la policía ni a Sastre sería porque estaba atemorizado: le habrían amenazado con atacar a su familia —o algo por el estilo— si no obedecía al pie de la letra. En mi opinión, Luis Pons estaba superado por los acontecimientos, se le veía inquieto y atemorizado; no me extraña que para poner fin a su pesadilla decidiera pagar.

El comisario calló unos instantes.

—Creo que accedió a las pretensiones de esos individuos sin ninguna resistencia. Es buena persona —advirtió al fin Boyero.

Villar comenzó a mover la cabeza de un lado a otro, como si empezara a constatar que Boyero era «como los demás».

—Justo, no quiero ni pensar en qué follón estás. Eres un buen policía y, ya te lo he dicho en alguna ocasión, no comprendo cómo te metes en ciertas cosas, la verdad.

—Me «meto» en cosas como las que hacen todos los policías, pero con menor frecuencia que la mayoría de ellos: sólo en muy contadas ocasiones. Ahora lo hago porque me lo ha pedido una vieja amiga, la juez Clara Soldevilla. Y no perjudico a nadie.

Se quedaron en silencio.

Boyero se miró las manos, entrelazó los dedos y dijo en tono grave:

—Si acaso, me perjudico a mí mismo.

CAPÍTULO 37

Adela Portolés miró con curiosidad el sobre que estaba en la bandeja de su mesa. Cogió la carta con su mano derecha y se la pasó a la otra mano; la sacudió un poco por un extremo. Un pequeño ruido seco del contenido la incitó a tantear nerviosamente, hasta encontrar un objeto duro de reducido tamaño. Se sentó a la mesa y miró el sobre al trasluz, pero el papel del sobre era suficientemente grueso y no se transparentaba.

Con el abrecartas abrió el sobre y lo volcó, dejando caer el contenido sobre la mesa. Se trataba de un pequeño objeto, como de unos cinco centímetros y de color morado. Llevaba escrita la marca Sony y las palabras «Memory Stick». En un lado tenía unas muescas de conexión para ordenador y la otra esquina un poco roma, como para asegurar que se introducía adecuadamente.

Dirigió su atención al sobre y extrajo una cartulina en la que decía:

Ven cuando sufras. No llames.
La llave que te doy es para siempre.
                                           Luis

Repitió la lectura, sin encontrar el sentido de aquella cita.

Miró el matasellos de la carta, verificando que era de dos fechas atrás. El mismo día en que dispararon a Luis. Trató de serenarse y averiguar quién podría descifrarle el contenido del pequeño artilugio.

—En Laboratorio — aseguró en voz alta.

Salió hacia allí.

—Albert, ¿qué es esto?

—Un «memory stick» es a una máquina digital lo que un carrete a una máquina de fotos convencional. ¿Quieres ver si tiene alguna?

—¡Por favor!

Albert manipuló durante unos momentos con los cables USB y vio en la pantalla la leyenda «disco extraíble». Siguió tecleando hasta que apareció la imagen de una pequeña habitación con dos individuos en actitud de examinar una máquina fotográfica.

—Tiene buena resolución. Te la puedo imprimir.

—Mejor me lo vas a hacer así: imprímeme esa foto, tal como está, y luego sacas otras copias de las caras de esos dos. Mientras lo haces, voy a mi mesa porque tengo que realizar una llamada. Creo que son los tíos que dispararon, en el Levantino, a un amigo.

Marcó el número del trabajo de Luis, pidiendo que le pusieran con María Jesús.

—Soy Adela, Adela Portolés, no sé si me recuerdas.

—Ya te conozco la voz. Pobre Luis. ¿Cómo estás?

—Muy afectada. No se me va de la cabeza. Cuesta creer que algo así pueda pasarle a una persona como él.

Un pequeño silencio.

—Necesito que me hagas un favor, María Jesús. Tengo una foto que me envió Luis el mismo día que le dispararon. Quiero entregarla a la policía, pero desearía dársela sólo al que lleva el caso: ¿sabes a quién me refiero?

—Sí, se llama Justo Boyero. Me dejó una tarjeta. Espera, te daré el número y le llamas. Me insistió en que contactáramos solamente con él.

Después de anotar el número, Adela le preguntó por Luis.

—Está muy malito —exhaló un sonoro suspiro—. Si sale, será muy desgraciado.

Apenas podían contener la emoción. Adela hizo un esfuerzo para agradecerle a la veterana enfermera la información que le había facilitado. Cuando quiso despedirse, se le puso un nudo en la garganta. María Jesús no podía dominar su desconsuelo y Adela Portolés, con un hilo de voz, susurró un desfallecido «adiós».

Llamó a Boyero, quien le propuso entrevistarse en la propia casa de la chica, si ella no tenía inconveniente.

Adela informó a su madre de que dentro de unos minutos iba a recibir la visita del comisario Boyero. La señora se dio cuenta de que su hija hablaba con bastante tensión de esa entrevista y, aunque inquieta, accedió a su ruego de no estar presente en el encuentro.

La mujer introdujo al comisario hasta el salón y después los dejó solos.

Justo Boyero abundó en las razones por las que había escogido ese lugar para aquella conversación:

—Me sabe mal molestarla aquí, pero cuanto más en secreto llevemos las pesquisas, mucho mejor.

Adela le entregó el sobre con las fotos.

—El compañero que me las ha copiado se preguntaba cómo pudo hacer esa instantánea sin que se dieran cuenta. Me ha hecho meditar y tengo una teoría.

Boyero levantó la mirada de las fotos y concentró su curiosidad en la mujer. Adela apartó una de las fotografías:

—Mire, ésta es la que venía en el «memory» que me mandó; en la foto están impresas la fecha y la hora en que se tomó. Conociendo la forma de actuar de Luis, eso puede significar que sabía con alguna antelación que le visitarían estos hombres. Se lo digo porque es un poco laborioso programar la cámara digital para esas cosas...

Le pareció que se olvidaba de algo. Boyero le recordó, sugerente:

—Su «forma de actuar».

—Sí. En Sicilia, cuando estuvimos juntos, no le gustaba que en cada una de las fotos se imprimiesen los datos de la fecha; solamente aceptaba que los llevara la primera foto de cada jornada. Así, cada mañana en el hotel, hacía la primera foto y acto seguido cancelaba esas instrucciones. Llevaba un control diario de los recorridos que hacíamos y, como las fotos salen numeradas correlativamente, sabía con toda exactitud los lugares que fotografiaba.

Se detuvo para comprobar que el comisario no deseaba preguntarle. Avisó:

—Estoy segura de que toda esta preparación que le he explicado era muy importante para él.

—¿Usted sospecha que Luis usó esa estrategia cuando fotografió a los dos tipos, para que no se dieran cuenta?

—Empleaba varios trucos. Recuerdo que en el mercado de Palermo le hizo una foto a un vendedor que estaba dormido entre las banastas de fruta. No sé la técnica exacta, pero debió de poner el autodisparador retardado, diez o quince segundos, y desactivó el pitido del obturador. Lo que molesta a la gente es ver que la estás enfocando a través del visor. Con el automático se puede estar mirando a cualquier otra parte cuando se hace la foto.

—En alguna ocasión me informaron algo sobre las técnicas que se emplean para hacer fotografías en lugares no permitidos y la que usted apunta es una de ellas: se tiene que abrir más el campo de encuadre, aunque luego se recorte en el revelado o en el ordenador. Así, hay seguridad de que en la foto va a salir todo lo que interese especialmente.

—Mi compañero de trabajo me ha comentado que Luis también anuló la función de flash. No hay las típicas sombras.

—Sin duda. Luis sabía que la cámara activaría automáticamente el flash porque hay poca luz en el interior de su despacho; el fogonazo lo delataría.

Boyero permaneció silencioso un instante. Adela supuso que estaba concentrado en sus reflexiones. Así era:

—Le disparaon no porque fallara su previsión con el flash, puesto que no se activó. Luis hizo la foto y la metió en el sobre. En el momento de la instantánea no sucedió nada que pudiera *irritar* a esos tipos. La hora de esta fotografía indica que se hizo antes de ir al banco. También antes de ir al banco Luis dejó, en el buzón de Correos cerca del hospital, la carta para usted.

El comisario se detuvo otra vez. Con el dedo índice de su mano sobre la boca hacía esfuerzos para entender los motivos por los que tirotearon al supervisor. Cabeceó de arriba abajo:

—Tuvo que ser más tarde, al regresar del banco. Esos sujetos tenían el dinero en su poder, Luis había accedido a todas sus exigencias y colaborado plenamente.

Preguntó a la chica, en voz alta:

—¿Por qué cambiaron de parecer? ¿Por qué volverían de nuevo al hospital?

Repitió lentamente la interrogación.

Adela se contagió del ambiente inquisitivo y apuntó:

—¿Porque descubrieron que Luis les había retratado?

Justo Boyero no contestó a la pregunta de Adela y siguió con sus razonamientos:

—No creo que, al principio, tuvieran intención de matarle, pues los disparos en el hospital eran arriesgados, pero en algún momento cambiaron de idea y decidieron eliminarle. Dos tiros son el procedimiento que estos individuos vienen empleando para ajusticiar.

Adela llevaba la melena al lado izquierdo; sus ojos verdes brillaban por la intensidad de los acontecimientos que estaba viviendo.

«Es una mujer muy atractiva», pensó Boyero.

La mujer sintió sobre ella la sensual mirada del comisario y se quedó turbada. Tomó el sobre con las fotografías y le preguntó a Boyero si las entregaría a la Interpol.

Justo Boyero bajó de los cielos.

—Luis nos ha dado una lección de táctica. Por imponderables, que ignoramos, su treta no acabó de salirle bien. Fue muy valiente y usted ha hecho de forma rápida y eficaz todo lo que él esperaba. Su ayuda es impagable, de verdad.

Boyero se daba cuenta de que había sido pillado *in fraganti* y se encontraba incómodo en aquella situación. La chica estaba ayudando a resolver un intento de asesinato de su ex novio y él, Justo Boyero, se dejaba llevar por contemplaciones estéticas.

—Ahora tengo que irme —comenzó a decir—, para descubrir y detener a estos dos —señaló el sobre—; aunque estén bajo la faz de la tierra.

La señora Portolés tenía entreabierta la puerta de su habitación y cuando se percató de que su hija y el policía se estaban despidiendo, salió al vestíbulo. «Qué desgracia lo de ese chico», comenzó a decir, extendiéndose en lamentaciones sobre los tiempos difíciles que tocaba vivir.

Boyero procuraba no mirar a Adela, haciendo denodados esfuerzos por concentrarse y superar el incómodo rato que estaba pasando. Escuchó con cortesía la perorata de la buena señora, que en ese momento estaba alabando la profesionalidad de la policía para pillar a los asesinos.

—Por eso no dude usted en llamarnos o venir cuando lo necesite.

Justo Boyero les anunció que prefería no usar el ascensor, para no desaprovechar ninguna ocasión de hacer ejercicio.

Torpemente encendió la luz de la escalera y comenzó a bajar los peldaños sin volverse para decir adiós a las dos mujeres.

Mientras descendía, se dejó impregnar de la cálida mirada de aquellos brillantes ojos verdes.

CAPÍTULO 38

Los policías judiciales Villar y Goyo investigaban algunas empresas dedicadas al cobro de deudas. Entre una veintena de organizaciones decidieron revisar la mitad, escogiendo las que creyeron menos importantes y prescindiendo también de aquellas que sugerían claramente una estrategia fundada en perseguir al moroso con vestimentas más o menos pintorescas. Villar le relataba a Goyo que cuando él era un muchacho existía en Valencia una organización peculiar, dedicada a cobrar deudas.

—Los encargados de aquellos cobros morosos eran unos señores vestidos totalmente de rojo: por eso la gente les puso como apodo *los coloraos*; se encargaban de seguir inflexiblemente, con su indumentaria, a los que no querían pagar. Me producía cierto malestar ponerme en el lugar del moroso y sentirme perseguido, como una sombra, por aquel tipo pintoresco.

Villar siguió relatando que aquellos eran años de penuria y, sin embargo, no cumplir los compromisos de pago entrañaba gran descalificación social. Valencia era una ciudad pequeña, un *poblet*, y en los barrios todos se conocían; era vergonzoso que a uno lo señalaran como deudor. La simple amenaza de los coloraos llevaba a buscar el dinero por todas partes, para evitar al sujeto implacable del traje rojo.

Los primeros responsables de las compañías que empezaron a visitar coincidían en afirmar que los momentos actuales eran «tiempos duros»:

—El hecho de impagar está bien visto. Salvo en el caso de los bancos, que se aseguran bien, la gente no atiende las obligaciones de pago que contrae. A muchos, se la trae floja si le sigue un tipo vestido de perro verde o de esmoquin. Terminas tirando la toalla antes que ellos. Se comenta con frecuencia, pero sin mucha razón, que algunos del sector emplean a colombianos. Sea como sea, aquí no queremos tratos con matones.

Todos los entrevistados parecían haberse puesto de acuerdo para descartar que en sus agencias emplearan gente violenta, para conminar a los reacios al pago.

Villar no daba mucho crédito a los directores a los que estaban interrogando. En ocasiones se mostraba agresivo, ante la escasa convicción de los propios responsables de la empresa, por lo que él mismo interpretaba como una contradicción: por una parte, reconocían que el cobro «amistoso» conllevaba dificultades insalvables y por otro lado mostraban su rechazo a emplear medidas de «presión física» con los deudores.

Los policías continuaron su rutinario trabajo, a sabiendas de que podía resultarles provechoso en cualquier momento.

Se aproximaba la hora de cierre de mediodía cuando decidieron indagar en otro local más: GESCOMO.

Estaba situado en una entreplanta. El salón dedicado a oficina daba a un patio interior, del que apenas recibía luz porque era un primer piso y además la suciedad de los cristales del descuidado ventanal daba opacidad. Las aspas de dos ventiladores instalados en el techo eran el único alivio al fuerte calor de aquella hora.

Los atendió un hombre gordito, de ojos pequeños y brillantes. Mostraba buen humor y, a pesar de haberse presentado como el jefe, no estaba mejor vestido que sus empleados.

Dijo ser el *señor Arregui*.

La sonrisa llena de dientes que mostró en el recibimiento se desvaneció al saber que tenía delante a dos inspectores de policía.

Goyo fue al grano:

—Nos han informado de que su empresa, algunas veces, solicita los servicios profesionales de gente colombiana. Venimos a que nos detalle, con toda exactitud, a qué personas de esa procedencia ha contratado en los dos últimos meses.

El señor Arregui estaba agobiado con el trabajo acumulado y mostró su disgusto: «La policía no puede poner en duda la labor de mi oficina».

—No nos importa lo difícil que les resulta usted a los de Hacienda. Hasta ahora no le hemos acusado de nada y nos da igual si usted trabaja tan admirablemente como dice y si su cuenta de resultados es cojonuda. Sabemos que su negocio no funciona solamente con escritos de abogado. Alguna vez tendrán ustedes que ser agresivos, por lo que puede ser legítimo emplear a personas de aspecto intimidatorio.

Arregui carraspeó protestando.

Villar no apartó los ojos del interlocutor y se mostró cómplice:

—La policía también lo hace, aunque pueda parecer perverso.

—No les niego que, en raras ocasiones, he requerido los servicios de «gente eventual» que podría responder al perfil que apunta usted.

—Haga memoria.

—Tendría que consultar datos.

—Necesitamos que nos lo diga ahora.

Los labios del señor Arregui esbozaron una mueca embarazosa, como si se le hubieran atragantado sus anteriores palabras. Llevaba una camisa blanca arremangada y el botón del cuello desabrochado. Aflojó un poco más la corbata y miró a Goyo. Parecía solicitar del policía el valor necesario para dar un paso definitivo. No encontró la colaboración que buscaba. Goyo se encogió de hombros, le miró de abajo arriba y le espetó:

—Caballero, me estoy cansando... y eso que no me canso nunca.

El señor Arregui le miró vacilante. Indicó a los policías que pasaran a un despacho pequeño, pero con temperatura más agradable, y los invitó a sentarse.

Villar tomó el relevo:

—Usted nos va a dar ahora mismo la información que le pedimos y la consideraremos anónima. No venimos a indagar si se trata de personas con papeles o sin ellos; por ese lado tiene nuestra palabra de que lo pasaremos por alto. Estamos siguiendo una pista que nos trae hasta aquí y tiene que colaborar. Es lo más conveniente —se detuvo un instante, terminando muy despacio— para usted.

Los policías se animaron; eran conscientes de que su pajarito vacilaba antes de cantar. Villar sacó dos fotografías de Samudio y Fuenmayor y las mostró al señor Arregui. Los inspectores permanecieron en silencio mientras el intimidado hombre miraba una y otra fotografía.

—¡Qué matraca! Todos estos tíos parecen iguales.

—¿Cómo debemos interpretar esa *opinión* suya?

El hombre gordito sudaba cada vez más, aunque el aire acondicionado mantenía fresca la estancia.

—No sé cómo explicarles. De tarde en tarde recibo encargos muy concretos. Si estas personas logran cobrar, se les paga lo convenido.

—¡Vaya, vaya, vaya! Nos quiere hacer creer que si alguien le encarga, muy esporádicamente, un trabajo para cobrar diez millones de pesetas usted llama entonces a unos tipos, de los que no sabe nada, y les dice «vais a cobrarle diez millones a un hombre que se llama así y vive en tal sitio, etcétera, y, cuando los hayáis cobrado, volvéis aquí y os daré una comisioncita por el trabajo».

—También pongo en contacto a algunas personas con «gente de aspecto intimidatorio», como dice su compañero. Son asuntos especiales, en aquellos casos en que no hay comprobantes para sustentar la reclamación; la gente a veces encarga trabajos, sin presupuesto ni factura, para eludir el pago del IVA. En ese supuesto ni siquiera hacemos contrato de prestación de servicios ni nada.

Villar no esperó a que se desvaneciera su teatral representación. Puso la mano en el teléfono de sobremesa y afirmó más que preguntó:

—Puedo usar su teléfono.

Sacó su móvil, buscó el número de Justo Boyero y lo marcó desde el teléfono del Sr. Arregui.

—Hemos dado con nuestro hombre. Los informes eran buenos... Gescomo... Espere un momento —preguntó al señor Arregui—: ¿Qué dirección es ésta?

Se la repitió a Boyero. Después de colgar el teléfono y, en un tono más suave que el que venía empleando hasta ese momento con él, advirtió al señor Arregui:

—Va a venir el comisario. Como la cosa puede demorarse un rato, diga a los empleados que se vayan a comer, que aquí no pasa nada. Hágalo sin salir de aquí, para que veamos lo bien que hace el encargo.

Una vez advertido el personal, el señor Arregui se sentó en su despacho. Su voz apenas era audible, cuando expuso:

—Voy a llamar a mi abogado.

—Usted no hará más llamadas, hasta que yo lo diga. De momento, no se le acusa de nada. Y aunque hemos observado alguna reticencia suya a colaborar, en su haber constará que ha sido usted el que ha avisado a la policía y ha dado esta dirección.

—En la compañía telefónica nos lo pueden certificar —ratificó Goyo.

El individuo miró incrédulo a ambos policías, bajó los hombros y preguntó qué podía hacer.

—Nuestro jefe quiere llevar personalmente el asunto. En esta oficina está lo que nos interesa, así que vamos a buscar todo lo referente a los dos sujetos. Si no tiene pruebas documentales de cosas que puedan ser relevantes, nos las cuenta verbalmente hasta con los mínimos detalles. Manos a la obra.

Cuando llegó Justo Boyero mostró al señor Arregui su placa de comisario y añadió que pertenecía a «la Judicial». Después procedió a recabar de Villar y Goyo las informaciones que habían conseguido.

—En abril usted contrató a Germán Samudio y a Manuel Antonio Fuenmayor, que son nuestros conocidos colombianos —Villar le enseñó unas fichas con las correspondientes fotografías. Se detuvo en una rebuscada pausa— y seguro que puede decirnos más cosas de ellos.

Boyero trató de reprimir la satisfacción que le producía el descubrimiento; cogió las fichas de Samudio y Fuenmayor y preguntó al señor Arregui para qué trabajo los había contratado.

—Primero, cosas sencillitas, pequeños cobros que resolvieron con gran eficacia. Todo discurría la mar de bien hasta que les encargué que me fueran «ablandando» al señor Combetes.

—¿Estaba «duro»?

—Mi cliente no se decidía a una reclamación directa. Yo recibí instrucciones suyas: asediar a Combetes y esperar nuevas órdenes antes de dar otra vuelta de tuerca.

—Y se pasaron «asediándole».

—¡Ellos ya me habían entregado el caso cuando ocurrió lo del señor Combetes!

El señor Arregui llevó su mirada de Boyero a Villar; los dos parecían sorprendidos por la última aclaración, que les desencajaba muchas piezas.

—O sea que, según usted, Fuenmayor y Samudio solamente «le asustaron un poquito» y se alejaron del caso.

—En esos momentos recibo un fax en el que se me dice que el acreedor no rematará la gestión de cobro, por alguna razón que no me comunican. Así que los colombianos me tuvieron que devolver la documentación del asunto Combetes

—Y usted ya no volvió a ver a los dos tipos.

—Así tenía que haber sido. Pero ellos se obstinaron en finalizar el caso y cobrar. Tuvimos discusiones muy fuertes porque no se fiaban; recelaban como si mi intención fuera prescindir de ellos y cobrar por mi cuenta.

Encogió los hombros para decir algo muy evidente para él:

—Eso no lo puedo hacer porque supondría el fin de un negocio como éste: mi trabajo está en el porcentaje que percibo por mis gestiones y no debo escatimar el pago de las comisiones prometidas a los agentes.

Goyo se pasó la mano por la calva y espetó:

—A mí me gustaría tener pelo abundante para afeitarme la cabeza.

—¿Qué pasó? —preguntó Boyero impaciente.

—Continuaron vigilando al señor Combetes, para comprobar si yo estaba conchabado con él. Dos días después «de lo del contenedor» los vi por última vez. Aquí mismo, en la oficina. Vinieron con un perrazo.

Boyero mostró reflejos:

—¿Cómo era ese perro?

—Grande, blanco, de pelo largo. A mí es que los perros me dan mucho miedo. Si lo trajeron para intimidarme, lo consiguieron; era enorme y olisqueaba todo.

—Volvamos a los dos sujetos —trató de encauzar la conversación Villar.

—Se quedaron de una pieza cuando les di la noticia del asesinato. No lo sabían. No compran periódicos.

—¡Ni ven la televisión! Una noticia como ésa, que causó tanta conmoción y que nos la metieron hasta en la sopa.

Había intervenido Boyero, que después ordenó:

—¡Siga!

—En aquel momento me pareció que no fingían. Habían tratado de seguir al señor Combetes; al no verlo en dos días, por lo que sabemos, pensaron que yo habría conseguido cobrar y vinieron a exigirme cuentas.

Villar mostró a Boyero una foto de Muanó; el comisario se la enseñó al atribulado señor Arregui, que confirmó rápidamente:

—Este es el perro que traían los colombianos.

—Pues era... es el perro de Combetes.

El señor Arregui, visiblemente abatido:

—Mi cliente no estaba satisfecho con el trabajo de ese Samudio y el otro. Ignoro si llevó directamente las gestiones con ellos y les juro que no sé nada más.

—Seguro que sabrá dónde viven.

Sacó una carpeta «de acordeón» y, después de una breve comprobación, manifestó un poco alterado:

—Solamente constan los nombres: Manuel Antonio Fuenmayor y Germán Samudio.

Goyo se quedó atando los últimos datos con el señor Arregui y los otros dos policías abandonaron el despacho.

Villar y Justo Boyero escuchaban a Billie Holiday, interpretando su *All or nothing at all,* en el equipo musical del coche de Boyero. Cuando terminó la canción, Justo redujo el volumen y comentó:

—La llaman «la voz del jazz». Me gusta el sentimiento y la melancolía que tiene. Creo que fue desdichada: drogas, alcohol, hombres.

—Puede que fuera drogadicta y todo eso, pero no sé si «desdichada».

Justo Boyero le miró fijamente, como tratando de averiguar hasta dónde quería llegar el veterano policía.

Villar creía que necesitaban seguir hablando del caso. Tratando de volver sobre el asunto que más le importaba, preguntó a Boyero:

—¿Y qué me dices de estos dos desgraciados a los que tenemos que buscar?

—No pienso aventurar nada —contestó Boyero y subió el volumen del equipo.

—Desde hace tiempo lo daría todo por saber quiénes son los *hijoeputas gonorreas* esos.

—Arregui dice que lo ignora.

—No me creo esa monserga. Ni lo que cuenta de un misterioso fax; no me creo nada del enano ése.

Justo Boyero siguió cavilando:

—Les mandó a los dos colombianos que tantearan a Combetes. Samudio y Fuenmayor se fueron a ver al exportador a su despacho y, antes de que pudieran decirle nada, Combetes les pidió que si esperaban unos días les pagaría los diez millones. El naranjero seguramente sabía muy bien quién le reclamaba el dinero. Es una de las claves de la investigación.

—¿Qué le dirían a Combetes para que accediera a pagar?

—Pues que eran *colombianos*, que trabajan en una empresa de cobros y que no podían perder el tiempo; pondrían la *pipa* encima de la mesa y el abuelo se atemorizaría un huevo y se comprometió a pagarles diez millones en unos días.

—Desde el despacho de Combetes se fueron a decírselo a su jefe de Gescomo —siguió Villar— y el *mierdajefe* se pondría más contento que Dios en Navidad.

Boyero rió la ocurrencia. Villar continuó, lanzado:

—Arregui, en vista del éxito, les dio otros casos más para cobrar. Acordarían telefonearle cada mañana para recibir instrucciones directas del enano, que seguramente les prometió pagar un millón de pesetas a cada uno, cuando el cobro se materializase. Con esas ganas que les entran de tocar la platita le llamarían cada media hora dándole novedades. En éstas, Arregui empieza a sentirse incómodo: por una parte, su cliente le pedía no apretar más al viejo; por otra, Samudio y Fuenmayor no le hacían caso y asustaban a Combetes más y más. Un día el enano les ordenó que se olvidaran del cobro aquel y les enseñó un fax del cliente cancelando el encargo. A los colombianos les entró un mosqueo total, cogieron el fax y averiguaron la procedencia: una casa de fotocopias y faxes donde no supieron decirles quién era el autor del encargo.

—Y en ese momento se temieron una jugarreta del señor Arregui y, por iniciativa propia, le siguen los pasos a Combetes.

—Espera, Justo: a partir de aquí les llegan «cosas que no entienden»: alguna de ellas les hizo pensar que se les había ido a la mierda el negocio y se lo cargaron.

—La clave está en saber cuáles eran esas «cosas». Tal vez alguna entrevista de Combetes con los clientes que encargaron el cobro. ¡Nos faltan piezas de esta parte!

—Estamos a punto de cerrar la investigación. Si ahora lográramos detenerlos, habría pruebas para incriminar a esa pareja. Hay que ocupar en esto a todo el personal que nos pueda ayudar.

Se miraron fugazmente. Villar se mordió el labio inferior, levantó las manos y las dejó caer sobre las rodillas:

—La plantilla de Gran Vía está a la mitad, por los trabajos de escolta a los políticos en vacaciones. Como siempre. Todos los veranos pasa lo mismo. No hay solución, aunque la inmensa mayoría de los policías cojan ya sus vacaciones fuera de estos meses... Bien, haremos todo lo que se pueda para estrechar el cerco.

La mañana siguiente Boyero fue al Hospital Levantino a ver a Luis Pons. El enfermero estaba en la UCI. Acababa de sufrir una operación de cirugía para reparar los destrozos causados por el disparo en la cabeza. Sólo pudo verlo a través del cristal.

Le informaron de que iba mejorando lentamente y prometieron entregarle el sobre que les había dejado.

CAPÍTULO 39

Boyero estaba hablando por el móvil con su hija, que estaba en Inglaterra. Cuando vio entrar a Villar supo que algo importante había ocurrido. Se despidió rápidamente de Helena y preguntó novedades al veterano policía.

—¡Tenía razón, Justo: el perro nos ha llevado a los colombianos!

El comisario le estrechó fuertemente la mano.

—Habíamos distribuido fotos por todas las zonas «calientes» —dijo Villar—, pero sin resultado. Una señora nos ha llamado quejándose de los continuos ladridos de un perro. Era el perro de Combetes. Se ve que Samudio y Fuenmayor lo dejan solo y monta unos conciertos de mucho cuidado. Los tengo vigilados por la mitad de los agentes.

Boyero barbotó una agria imprecación. Tenían que seguir discretamente todos sus pasos. Dio más instrucciones a Villar y se despidió con un abrazo y sonoros palmetazos en la espalda.

Poco después, Boyero comentó con Clara Soldevilla las buenas noticias y le adelantó que iba a esperar un par de días más, para ver si los colombianos les conducían a alguna otra pista, antes de detenerlos.

—No sé si podrás seguir demorándolo, Justo; hay que emplear mucha gente, durante horas. Me han dicho que estas fechas de vacaciones, con el personal relajado y mucho trabajo acumulado, no son las más adecuadas.

—Si es necesario, ocuparé a toda la plantilla.

Se alejó rezongando.

Aquella tarde la temperatura seguía siendo bochornosa. Los dos colombianos deambulaban por zonas de abundantes bares de copas. Aprovechaban los locales con aire acondicionado para refrescarse, buscar contactos y conseguir algún trabajito.

En la calle de Juan Llorens, entraron en «Atardecer Rosa» y pidieron una cerveza «San Miguel». El empleado, camisa floreada de bignonias color rosa, puso las bebidas en la barra y rogó que le abonaran la consumición. Samudio añadió una propina y preguntó por el encargado del bar. El camarero fue hasta el final del mostrador y avisó al hombre vestido con pantalón alpaca brillante y camisa de seda color burdeos. Le explicó algo al oído, apuntando hacia la pareja de colombianos.

El reluciente individuo se encaminó hasta donde estaban Fuenmayor y Samudio.

—Buenas noches —les tendió la mano y dijo con tono excesivamente coqueto su nombre—: Alex.

Cambiaron las grandes copas a su mano izquierda y aceptaron sonrientes el saludo. Samudio logró superar la hilarante presentación y aseguró:

—Germán, colombiano; aquí, mi paisano Manuel Antonio. Venimos a ofrecerle nuestros servicios para la vigilancia; tenemos mucha experiencia en locales como éste. Nos puede poner a prueba unas semanas y, si no queda satisfecho, no le cobraremos nada por el ensayo.

—Ya tengo vigilancia.

—El muñequito vestido de azul que tiene en la entrada no va a impresionar a ningún «broncas» que se cuele en el local. Como maniquí de adorno puede pasar, pero nosotros le hablamos del trabajo «efectivo».

—Yo también me refería a la vigilancia de verdad. Hablen con mis socios; están en la mesa del fondo.

—Vaya. Nos gustaría conocerlos.

La *pepona* de camisa burdeos se encogió de hombros y, con gesticulaciones exageradas, les avisó que podían hablar con ellos.

Samudio se adelantó hacia donde les había indicado. Al llegar, se sentó sin mediar palabra y esperó a que Fuenmayor tomase asiento. Dio un sorbo a su copaza de cerveza y se quedó mirando al tipo cuya dentadura estaba pidiendo una restauración que costaría las ganancias de un trimestre. Se fijó luego en el hombre de tez morena y camisa con todos los botones abrochados; declaró:

—Somos originarios de Medellín. Nos vendría muy bien un trabajo porque hemos estado en prisión cuatro meses y nuestros últimos ahorros se nos han evaporado al pagar la fianza y la minuta del abogado.

—¿En qué trabajabais aquí, antes de «lo de la *universidad*»?

—Un poco de todo. Vigilancia, en bares de copas básicamente. Hicimos gestiones de cobros a morosos. Un poco de todo.

—¿Para quién?

Respondió Fuenmayor:

—Para GESCOMO.

El de la piel oscura y su socio se miraron. Intervino el hombre de los dientes ruinosos:

—Nosotros no podemos ofreceros encarguitos de esos. Pero precisamente esta tarde me pedía Mario —señaló a Mario — que intentáramos sacar una plata con algunos trabajos. Bueno, me llamo Artur.

Samudio presentó a Fuenmayor y a sí mismo.

Se estrecharon las manos como en los prolegómenos de un partido de fútbol.

El tal Artur, que no dejaba de sonreír y exhibir su lamentable dentadura, quiso saber si los recién llegados seguirían bebiendo cerveza. Fue a la barra, pidió cuatro «copas de noche» y colocó su silla para sentarse entre Samudio y Fuenmayor. Seguidamente pasó sus antebrazos sobre los hombros de los colombianos y les susurró:

—Ustedes tendrán alguna cosita pensada.

—Bueno, sí. En GESCOMO nos encargaron cobrar una cantidad fuerte, pero cuando les dio la gana, anularon la orden, cobraron ellos y nos chingaron. El negocio sería buscar a aquellos tíos y exigir la comisión que entonces no nos pagaron. ¿Qué decís?

—Que parece razonable cobrar lo que es vuestro... —dijo Artur—, porque no tendréis ni un duro.

Samudio agregó:

—Ni un arma.

Con lo poco dotado que Mario estaba para las palabras casi soltó un discurso:

—Con las nuestras, tendremos bastante.

Artur expuso sus intenciones y se extendió en su proyecto futuro: hacerse con una pequeña organización para empezar con pequeños golpes, forjarse un prestigio y ganar dinero.

—Miren, el dueño de esto es una maricona que se lo tiene montado fenomenal: al mancebo vigilante le paga un sueldo y se dan gustito; para mantener el orden nos paga a nosotros el salario mínimo. Nos llama «socios», pero no lo somos. Nos toca buscarnos la vida fuera de aquí. Siempre salen cosas.

Mario creyó conveniente corroborar:

—Pues claro que sí.

—Hay gente que no se atreve a pararle los pies a un hijoputa que le tira los tejos a su mujer o a un constructor que no hace las reparaciones que le corresponden. Hay mucha *marranalla*.

Samudio quiso dar a entender que estaba de acuerdo:

—Sí, vainas nunca faltan.

Fuenmayor hizo un ademán exagerado, para testimoniar que había cientos de casos para intervenir. Después del gesto teatral, preguntó:

—¿Cuando tengáis la organización en marcha no se le podría «ablandar» al mariquita de vuestro dueño?

Artur expresó con un gesto que primero estaba la realidad inmediata y después expuso:

—Nos urge empezar. ¿Verdad, Mario?

Como Mario hizo un gesto insondable, Artur siguió:

—En el local de al lado se han quedado sin vigilantes y puede ser un sitio ideal para que empecéis. Ya os adelanto que son siete horas por el salario mínimo, pero todo legalizado, que es lo que os conviene para la Seguridad Social y todo eso. Por las mañanas, ya nos buscaremos la vida.

254

Todos parecieron aprobarlo.

—¿Y qué hay de ese asunto pendiente? —preguntó mostrándoles la dentadura a Samudio y Fuenmayor.

—Depende de vosotros exclusivamente; ya nos tienen muy vistos. Quiero decir que en cuanto os parezca bien —con el dedo apretó un invisible gatillo— les exigimos nuestro dinero.

—¿Vamos a recomendaros a los vecinos?

Tal como aventuraba Artur, no hubo oposición a que empezaran la vigilancia al día siguiente.

De regreso a «Atardecer Rosa» estudiaron la estrategia de actuación para los próximos días. Al cabo de una hora habían elaborado el calendario.

Aquella misma noche tendrían que comenzar a abonar el terreno.

CAPÍTULO 40

La inspectora de policía Marta Castro entró en «Atardecer Rosa», pisando los talones de Samudio y Fuenmayor. Hacía unos minutos que se había despedido de otro compañero al que había relevado. Aquel encargo de seguir los pasos de los colombianos era poco atractivo. El compañero le dijo, bromeando, que lo que resultaba más duro no era cuánto tenía que beber sino la cantidad de veces que le entraban ganas de orinar. «En eso, los tíos son quejicas, no saben lo que es tener inaguantables dolores de vejiga», pensaba ella. Tenía una teoría: cuando se bebía por placer —como era el caso de los dos hombres a los que seguían— entraban menos ganas de ir al lavabo que si se hacía «por obligación».

«Al menos, aquí no tendré que oírme animaladas», meditó observando el salón. Luego aventuró que los dos colombianos no se habrían dado cuenta de que era un bar gay, porque los hombres tardan más de lo razonable en percibir esas cosas. Sonreía ante la evidencia de su cavilación: era la única mujer en el local.

Se colocó en el principio de la larga barra y pidió una coca-cola al floreado barman, que le replicó:

—¿Con algo, amor? —Ella negó y el camarero se resignó—: Bueeno...

Marta envió un mensaje a su jefe por el teléfono móvil, indicando el lugar donde se encontraba y la peculiaridad del bar. Dejó el aparatito junto al vaso y encendió un cigarrillo. En ese instante, la pareja vigilada se dirigía a la mesa del fondo, sentándose junto a otros dos hombres.

Se llevó el móvil a la oreja e hizo como si contestara a una llamada, moviendo los labios de vez en cuando. Después escribió un nuevo mensaje, informando que Samudio y Fuenmayor habían «contactado con dos sujetos».

Unos minutos después, el telefonito comenzó a vibrar en el bolsillo de su camisa. Marta leyó el aviso: «Nos vamos contigo. Sal después de que entremos».

Como la Comisaría de Gran Vía dista sólo trescientos metros del bar, unos sorbos más tarde entraron dos compañeros de Marta y se colocaron muy cerca de ella, pidiendo refrescos de naranja con vodka.

El camarero miró a Marta Castro y le dedicó velados reproches por la diferencia entre la consumición de los recién llegados y la de ella.

Uno de los dos policías llevaba los puños de la camisa recogidos en los brazos y gafas de sol muy oscuras; preguntó al de la barra:

—¿Los servicios están al fondo?

Se encaminó hacia allí. Aunque el policía miraba al frente, Marta sabía que no se perdía detalle de los cuatro contertulios.

El otro policía, un veinteañero con barba de tres días, pidió otra copa «de lo mismo» y preguntó a Marta si podía invitarla. Ella negó con la cabeza. El joven apuntó, sin mirarla:

—Tenemos un coche y dos tíos en la calle de al lado. Búscalos. Si os necesitamos, avisaré yo. El *meón* los seguirá a ellos.

La mujer salió en busca del coche camuflado de los policías. Las aceras estaban invadidas por mesas de bares. Todavía hacía calor, pero en las terrazas la temperatura era llevadera.

El coche estaba en la calle paralela, aparcado en doble fila y con los cristales bajados.

Abrió la puerta de atrás y se puso en el centro del asiento. Preguntó:

—¿Vosotros fumáis?

—Si preguntas si tenemos tabaco, no tenemos porque no fumamos —el que hablaba era el acompañante del conductor—; si pides permiso para fumar, no hay inconveniente.

—Se me ha terminado y lo necesito mogollón. Voy a comprar.

Poco después entró en el coche envuelta en una humareda.

—Ya lo hice.

—Ya lo vemos.

—¿Qué hacen esos en el bar?

—Los colombianos están hablando con otros dos. Me parece que se han confabulado y tramarán algo juntos.

El policía que estaba al volante tuvo un presentimiento y avisó:

—Voy a llamar a Comisaría.

El jefe le agradeció la buena noticia. Luego comentó, excitado, que enseguida iba a informar a Boyero.

Tuvieron que esperar hasta las tres de la madrugada. Por fin a esa hora los colombianos, con Artur y Mario, entraron en el coche de Fuenmayor, que condujo hasta el polígono industrial de las afueras.

A prudente distancia les seguían dos autos con policías. De vez en cuando uno de los coches camuflados adelantaba al otro, para no levantar sospechas.

Fuenmayor aparcó el vehículo cerca del mismo contenedor en el que habían aparecido los restos de Combetes. Abrió el maletero y le ordenó al perro que saliera. El animal se apresuró a mear.

Samudio sacó unos pasamontañas que repartió entre todos.

El primero de los coches con policías pasó rápidamente a su lado y desapareció por la calle de la derecha. El segundo automóvil se había detenido en la manzana anterior y sus ocupantes bajaron cautelosamente, caminando hasta la esquina de la calle, desde la que vigilaban al grupo.

Los cuatro de los pasamontañas cogieron unos aparatos, a los que les pusieron botes de silicona. Se distribuyeron por las puertas de la valla de Plásticos Alcina y depositaron abundantes cantidades en las cerraduras de la valla, para obstaculizar la apertura.

Samudio hizo gala de su buena forma física y saltó ágilmente la valla que rodeaba la nave industrial; luego hizo otro generoso reparto de silicona en todas las cerraduras de las puertas del edificio.

Cuando terminó le hizo un corte de mangas a una de las cámaras de vídeo de la fachada.

Al reintegrarse al grupo, fue efusivamente felicitado por su divertida ocurrencia. Guardaron los botes y los pasamontañas en el maletero del Seat Ibiza, con el perro, y regresaron a Valencia.

En la ciudad, dejaron a Artur y Mario, que caminaron hasta su casa. Samudio y Fuenmayor, con el chucho, siguieron hacia su vivienda en el barrio del Carmen, aparcaron el coche y subieron directamente al piso donde residían.

Un rato más tarde los policías informaban en Comisaría de los domicilios de las dos parejas y abandonaban el trabajo, satisfechos del resultado de sus gestiones.

A la mañana siguiente Álvaro Alcina, un hombre con nariz gruesa, gafas sin montura, pelo blanco abundante en las sienes y notoria papada, ordenó que le pasasen aquella llamada a su despacho.

—Dígame.

—Soy Artur. Llamo en nombre de una agrupación que quiere cobrar el dinero que ustedes les deben. Hace unos meses prometieron pagar dos millones por el encargo de un pago atrasado de Pascual Combetes. ¿Se acuerda?

—Perfectamente.

—Iré al grano: «lo» de la silicona ha sido un primer aviso; le advierto que los tres hermanos y sus familias pueden correr el mismo final que su amigo el exportador. Ustedes son prácticos y no deben arriesgarse por una cantidad tan ridícula, que es nuestra.

—Antes de entrar en discusiones, tengo que dejar un punto muy claro: si nos ponemos de acuerdo y pago esos dos millones, no aceptaré ninguna extorsión más. No habrá más chantaje en ningún caso: ¿está claro?

—Tiene mi palabra.

El mayor de los Alcina no expresó ningún comentario. No quería decirle lo que pensaba de su «palabra», sino conocer la propuesta de los delincuentes para estudiar cualquier arista que les permitiera atraparlos y zanjar aquella picazón. El asunto de Combetes estaba volviéndose incómodo para todos ellos y lo iba a resolver de una vez por todas.

—En ese caso, espero sus instrucciones.

—El dinero lo queremos en billetes usados de mil o más pequeños.

—Estoy anotando.

—Lo tiene que traer usted.

—De ninguna manera.

Pensó rápidamente una explicación:

—Lo hará un empleado de confianza de la familia. O no hay trato.

Callaron. El peso del silencio lo rompió Artur:

—¿No se fía de mí?

—Quiero solventar esto sin riesgos personales; no voy a exponerme como Pascual, que fue un incauto.

Álvaro Alcina ya tenía advertido a Vigo, el hombre que le haría el trabajo. Era la persona más eficaz que conocía; en el pasado le había encomendado algunos trabajos delicados.

—El paquete lo dejará su encargado en un lugar del Palmar, que le voy a indicar. Será un sitio cerca de La Albufera; despejado, para que veamos si han cometido el error de avisar a los policías.

—En los esteros.

—¿Qué ha dicho?

—Los esteros son esas zonas del litoral que se inundan en la pleamar; ya sabe, la marea.

—Lo que usted diga.

Artur pensó que el Alcina era un relamido de mucho cuidado. Continuó:

—Su encargado llevará un sombrero blanco, aunque sea en la mano; lo que importa es que se vea bien. En el Palmar que busque el «Café-Bar Amigos» y que pregunte en el mostrador por *Boro el Chispa*. Eso es todo.

—Sólo me falta saber cuándo será.

—El dinero debe tenerlo dispuesto mañana antes de las doce de mediodía. A partir de ese momento le diré cuándo será la entrega. Tenga preparado al hombre que vaya a llevarlo todo. Y que se agencie el sombrero.

CAPÍTULO 41

Para Boyero el empleo de la silicona significaba una intención de comenzar a chantajear a los Alcina y estrechó el cerco a los fabricantes de plásticos y al grupo de los cuatro.

Dos días después del bloqueo de las cerraduras, se entrevistó con Manuel Alcina, el menor de los tres hermanos, para exponerle su teoría y la estrategia de actuación.

El encuentro tuvo lugar en el Hotel Astoria.

De entrada, Boyero advirtió al industrial que su familia podría ser extorsionada por los colombianos.

—Me parece, señor comisario, que es usted demasiado alarmista. Nuestro negocio es transparente como el cristal; todas las actividades que se realizan son impecablemente legales y, está claro, no tememos chantajes de malhechores.

El comisario le dedicó una mirada minuciosa. Dedujo Boyero que los dos Alcina mayores estaban muy atareados con las ocupaciones «serias» y le enviaban a la entrevista este notable ejemplar de sacristía. Impecablemente vestido, parecía un protagonista pijo de chiste de ejecutivos. «Chico, estás como un cromo, pero no me gustan los tipos como tú; y además, tienes el pecho *de pollo*».

Se preguntó Boyero si el pecho salido de Manuel Alcina era cóncavo o convexo. Se hacía un lío.

En voz alta le advirtió:

—Los restos de Pascual Combetes aparecieron en un contenedor que está delante de la fábrica de ustedes.

El desconcierto del Alcina, más que teatral, fue de vodevil:

—Caballero, no tiene usted derecho...

—¿Le he oído decir que no tengo derecho? Quiero que reflexione sobre la prueba que acabo de comentarle. No es una simple casualidad. Los asesinos de Combetes les dejaron un mensaje demasiado expresivo.

El pechopollo se rascó su cuidada barba con las yemas de los dedos de la mano; como todos los que tienen barba, en época de calor.

—Explíqueme, señor Alcina, qué había entre ustedes y los asesinos de Combetes.

Boyero aguantó la mirada del fervoroso fabricante, preguntándose cuánto tardaría en soltarle algo como: «Usted no sabe con quién está hablando».

Manuel Alcina ensalzó el poderío de la firma, citándole a Boyero algunas cifras de facturación y volumen del negocio; el opulento industrial puso énfasis, con formas dudosamente elegantes, en informar al policía de dos cosas: que tenían contactos muy fuertes en las esferas de influencia y que no le toleraba sus insinuaciones.

Cansado de la perorata de Alcina, al comisario de policía se le hincharon mucho las narices:

—Haremos las cosas con claridad; con la misma *transparencia* que ustedes emplean en sus negocios: la juez que lleva el caso Combetes me va a dar una orden para registrar su empresa y para interrogarlos a ustedes. La próxima vez, no vamos a vernos en un hotel como éste sino en *mi despacho* de Comisaría.

Al decir «mi despacho» había sonreído para suavizar la dureza de sus palabras.

El benjamín de los Alcina acusó la «advertencia» de Boyero. Entrelazó los dedos de las manos, excepto los dos dedos índices, que se los llevó a la nariz y trató de reírse. Miró la moqueta del amplio salón y luego posó sus ojos en el rostro del comisario.

Boyero se dio cuenta de que Manuel Alcina no hablaba porque estaba grogui. Prosiguió:

—Esa orden de registro la dictará la juez porque ustedes y Pascual Combetes tenían mucha relación comercial; sabemos que les debía grandes cantidades de dinero: ¿debido a qué?

—Nos compró muchas cajas de plástico, de las que se emplean para el transporte de naranjas.

El comisario torció el gesto, como expresando que le faltaban datos y le sobraban muchísimas cajas.

—En la empresa no le facturábamos porque era un cliente serio y de total confianza desde hacía muchos años.

Justo Boyero hizo una pausa valorativa. Como Alcina no hablaba más, agregó:

—Sabían perfectamente lo mal que le iban los negocios de naranjas y querían cobrar antes de que Combetes suspendiera pagos. No les dio tiempo porque vendió apresuradamente una nave industrial y el dinero que recibió no lo destinó a pagarles. La fábrica Alcina no tenía documentos mercantiles que justificasen la deuda de esos millones para poder entrar en un concurso de acreedores. Así que, ya que no podían reclamar legalmente los dineros ni contabilizarlos como pérdidas —con *transparencia cristalina*—, buscaron la ayuda de unos delincuentes.

Lo había dicho con mucha seguridad y «el barbas» se encogió levemente.

—Sigo con mis pesquisas: a ustedes les hicieron el trabajito dos colombianos, Manuel Antonio Fuenmayor y Germán Samudio, que tenían que atemorizar a Combetes para cobrar la deuda.

Boyero supuso que, en un sitio tan elegante, estaría bien pedir agua mineral a esas horas de la mañana. Hizo una seña al empleado y le pidió una marca de agua.

—Y para el *caballero*, lo que desee.

El caballero deseaba una bebida tónica.

Después de un enojoso silencio, Manuel Alcina preguntó:

—¿Puedo consultar con el abogado de la familia?

El comisario levantó mucho la ceja derecha y cabeceó, mientras preguntaba incrédulo:

—¿De verdad quiere *consultar*?

No esperó respuesta y, más serio, advirtió:

—Ahora se muestra usted razonable.

Boyero, al sentir la mirada que le dedicó el más joven de los hermanos, se preguntó cómo expresaría un reputado miembro del Opus Dei «qué tío más hijo de puta».

Manuel Alcina continuaba sin querer decir nada más, así que el policía le aconsejó:

—Hable con su abogado y llámeme esta tarde.

Sobre la pequeña mesa dejó una tarjeta de visita, se levantó y salió.

Poco después, el comisario de policía estaba sentado junto a una mesa de la terraza del Ateneo dispuesto a saborear cerveza «muy, muy fría».

Media hora más tarde, Boyero se encaminaba a los juzgados para hablar con Clara Soldevilla y ponerle al corriente de la entrevista.

Al final de su información, transmitió la rabia que le daban los personajes como Manuel Alcina, «que justifican la desobediencia civil».

La juez quiso animarle:

—Es el final; vamos viento en popa, ten paciencia con esos beatones... ¡Los desprecio tanto como tú!

—Clara —Boyero se rascó la nuca—, me gustaría saber por qué le dispararon a Combetes, a Donato y a Luis Pons.

—¡Eso mismo me pregunto continuamente desde hace tres meses! Es la pieza que cerrará la pesadilla; la respuesta sólo nos la podrá proporcionar el que apretó el gatillo.

—El abogado de los Alcina me ha citado a las seis de la tarde. Quiere que le diga un lugar. Estaba pensando quedar con él en el Museo de Arte Moderno, porque allí seguramente lo haremos sentir algo incómodo. Si estás de acuerdo, nos veremos un poco antes de las seis, en el vestíbulo del Instituto Valenciano de Arte Moderno.

CAPÍTULO 42

Vigo se quitó el sombrero blanco, lo dejó en el mostrador y con el pañuelo se secó el sudor de la frente. Tenía unas cejas en forma de acento circunflejo que, junto al enorme mostacho, le conferían una apariencia despierta y «vigorosa», que le hizo acreedor a su «alias». La cartera que llevaba colgada la puso cuidadosamente debajo del sombrero y preguntó al que atendía la barra.

El del bar observó un instante el sombrero y declaró:

—*El Chispa* me ha dado un sobre para usted.

Dentro sólo había un número de teléfono. Marcó desde su propio móvil.

—Vaya a la primera rotonda y tome la dirección que indica «Caminás». Vuelva a llamarme desde allí.

Las instrucciones siguientes le ordenaban acercarse a las dunas de la orilla.

Era un lugar extraño.

La calma era aplastante; se oían rumores del mar cercano, canto de chicharras y un alarido de tubo de escape de motocicleta.

Notó que un coche le iba siguiendo desde hacía algunos minutos.

Le mandaron que se detuviera y saliese hacia los arbustos. Eran cuatro. Artur y Samudio vigilaban, Mario y Fuenmayor le cachearon minuciosamente.

—Está limpio.

—¿El dinero?

—En la bolsa, sobre el asiento.

Mario abrió la cremallera y sacó dos de aquellos fajos de billetes, que aventó con deleite.

—Buena gente tiene buen dinero —filosofó Fuenmayor.

—¿Puedo irme? —preguntó Vigo.

—Has cumplido tu parte hasta aquí, vete cuando quieras.

Entró en el coche, hizo ademán de ponerse el cinturón, pero interrumpió el gesto. Salió del coche con el sombrero blanco en la mano derecha.

—¿Os gustaría quedároslo como recuerdo?

Se miraron divertidos y con sus gestos apreciaron que era una idea afortunada.

Con gesto enérgico tiró el sombrero a un lado y en la mano apareció una pistola.

—Quietecitos, que ahora las órdenes las voy a dictar yo.

Con mucha soltura los agrupó hacia los arbustos y, poniéndoles la pistola en la nuca, los fue cacheando. Se guardó dos pistolas, dos grandes navajas y la bolsa del dinero. Activó una llamada prefijada en su móvil.

—Esto ya está; venid.

Poco después llegaron cinco guardias de seguridad en un furgón. Esposaron a los cuatro atónitos extorsionadores con bridas de plástico y los amordazaron con cinta de precintar.

Antes de que pudieran sobreponerse, estaban dentro del vehículo, camino de la ciudad.

Álvaro Alcina quedaría nuevamente satisfecho por el eficaz trabajo de Vigo.

El asesor de los hermanos Alcina tenía citado a Boyero en el vestíbulo del IVAM a las cinco y media de la tarde, aunque a la juez le había dicho que la entrevista era a las seis. El letrado acudió puntual.

—Soy Javier Puchades —dijo el abogado; su voz se apagaba poco a poco y apenas se le oyó el apellido.

Subieron la empinada escalera. En la sala se exponían obras documentales de fotógrafos americanos. El abogado comentó su admiración por Walker Evans, rememorando el magnífico libro de James Agee *Elogiemos ahora a hombres famosos.*

Algo incómodo por la inesperada exhibición cultural del letrado, el policía reconoció la fuerza de las fotografías de puentes, casas y personajes del algodón, ajenas a cualquier forma de esteticismo. Justo Boyero se dio cuenta de que cada día odiaba más a los abogados. «Este cabrón me ha metido una goleada en unos minutos».

Javier Puchades era consciente de su favorable situación.

Estaban solos en la sala, cuando propuso:

—A «los hermanos» tenéis que dejarlos fuera de este asunto.

Boyero estuvo a punto de increparle: «No sabía que nos tuteáramos».

Pero se reprimió.

Le preocupaba más el fondo de la propuesta:

—¿*Tenemos*? Parece un poco imperativo…

—Os pongo en bandeja a los que mataron a Combetes.

Un vigilante del museo se acercó y les indicó que no podían estar tan cerca de las fotografías. Iban a decirle al guardia de seguridad que las fotos estaban protegidas por el cristal enmarcado. Pero no quisieron que nada los distrajera en un momento tan importante de la negociación.

Cuando el hombre se alejó, Boyero preguntó:

—¿Dónde están?

—Podemos decir que tu deducción está bien estructurada: los Alcina querían cobrarle la deuda a Pascual Combetes y recurrieron a los dos matones; cuando mis clientes dieron marcha atrás, los colombianos se negaron a obedecer y lo mataron. ¡Ayer por la mañana volvieron a reclamar su comisión por aquellas gestiones de cobro!

—¿Dónde están? —preguntó por segunda vez Boyero.

—A buen recaudo, en espera de lo que aquí decidamos. La detención se puede presentar como un triunfo de las pesquisas de la policía judicial —apuntó encogiendo los hombros ante el comisario— sin que en ningún momento de la instrucción del sumario se mencione para nada a los Alcina.

Boyero se marcó un *farol*:

—Pareces olvidar que tus clientes tenían una relación «especial» con Pascual Combetes.

—¡Ese punto es innegociable, no debe figurar! —ahora sí se le oyó bien a Puchades.

El policía se afirmó en el envite:

—¡Combetes tenía dinero de Plásticos Alcina para blanquearlo!

—Te voy a decir, *entre nosotros,* que tal vez sea un camino…, pero no daré un dato más sobre ese punto.

—Pues lo haré yo, si no hay otra salida.

—No debemos ni comentar el blanqueo de dinero…

El comisario esperó, con un gesto de teatral cansancio, a que se produjera la rectificación de su interlocutor.

—De acuerdo. Pero siempre negaré haber hablado de ese asunto—concedió Puchades.

Boyero se acercó más al abogado, que le expuso:

—Desde hace unos años, Combetes venía recibiendo de los Alcina importantes cantidades de dinero en metálico. Durante mucho tiempo el asunto funcionó impecablemente porque Pascual Combetes exportaba mucha naranja a Alemania y Francia, cumplía a la perfección y percibía una sustanciosa comisión por el blanqueo. Todo iba sobre ruedas. Pero los dos últimos años no devolvió el dinero acordado porque —según él— le apremiaba atender sus propias deudas.

—El dinero negro ¿de donde procedía? —preguntó Justo Boyero.

—Se puede suponer: de ventas no declaradas. Lo habitual.

—Al no retornarles Pascual el dinero blanqueado, encargaron a los colombianos que lo «trabajasen» —apuntó el policía—. Y unos días después les pidieron a Samudio y Fuenmayor que lo dejasen en paz: ¿por qué?

—Pascual Combetes comenzó a ejercer una batería de estrategias legales: quiebra, concurso de acreedores y ventas forzadas de sus posesiones, en el filo de la legalidad. Desconcertó un poco a los hermanos y por eso paralizaron la presión hasta conocer el verdadero alcance de sus intenciones.

—Pero la viuda de Combetes me ha dicho que su marido les había pedido dinero a tus clientes para pagar a los extorsionadores —objetó Boyero.

—Milongas de matrimonio. Su esposo sabía perfectamente qué querían los emisarios de los señores Alcina.

—Cuesta creer que el asesinato se deba a una iniciativa de los colombianos.

—Mis clientes no ordenan una barbaridad así. El Samudio, que debe de ser el ejecutor, es un psicópata. Un perturbado.

Permanecieron sin hablar durante un par de minutos.

Cuando Justo Boyero vio a Clara Soldevilla le hizo un ademán con la cabeza a Javier Puchades, que se retiró discretamente hacia el mostrador de la entrada mientras el comisario fue al encuentro de la juez.

En la explanada, ante la fachada del Museo, Boyero comenzó su explicación:

—Me ha parecido conveniente tener unas palabras con el abogado, a solas. Ha sido una charla provechosa y creo que tenemos todo arreglado.

Clara no disimuló la contrariedad que sentía:

—Estaba citada con vosotros, por la instrucción del sumario…

—Verás: una cosa es la instrucción del sumario —miró a la atractiva mujer e hizo un gesto de soslayar el sumario— y otra nuestra buena salud… la salud amigable y la mental.

Levantó los brazos para impedir la réplica de ella. No había terminado:

—Esta gente tiene a los colombianos y a otros dos elementos que formaban pandilla con ellos. Están dispuestos a entregárnoslos vivitos y coleando… a cambio de que nos olvidemos del blanqueo de dinero.

—¡Enrique sostenía que el blanqueo de dinero ha generado la muerte de Combetes y todo lo que ha sucedido después!

—Desde ahora, en este caso, vamos a ser rigurosos en las conjeturas… Puedo estar al lado de Enrique, hasta la muerte de Combetes; pero desde que lo asesinaron… cualquier incauto como yo se da cuenta de la implicación de *tu secretario*— cabeceó afirmando—, Enrique Sastre.

Le explicó brevemente la planificación de Sastre en la compra de la nave de Combetes, empleando como hombre de paja a Luis Pons.

—Cuando me pidieron que me ocupara del caso, Sastre nos había ocultado muchas cosas que he ido descubriendo, implicaciones… que te va a costar creer, Clara.

—Justo, tienes que entrar en razón: sin los de los Plásticos este caso no se sustenta.

—Por algún efecto freudiano, o de no sé quien, Enrique sostenía que los hermanos Alcina y su blanqueo de dinero eran los causantes de todos los problemas que le habían complicado el montaje que había urdido. Pero si el «amigo» Enrique Sastre no hubiera retrasado la carta certificada, contraviniendo un montón de leyes, esa nave no se habría vendido a Luis Pons ni Combetes estaría muerto.

—Ya te he dicho en alguna ocasión que, a veces, reprobaba sus actuaciones, en algunas cosas. Eran simpatías o pequeños favoritismos sin demasiada importancia. De verdad…

Había cogido la mano del comisario y la apretó con fuerza mientras susurraba sus últimas palabras. Boyero le expresó que la creía.

Los dos permanecieron en silencio verbal y gestual. La calma la rompió un enojado Justo Boyero:

—¡El trato es que los Alcina no tienen que aparecer!

Clara lo miró con dureza, reprochando que el hombre la tratase así.

—Justo, cariño…

—La mierda que me ha dejado Enrique ya me tiene asfixiado. No seré el único que tendrá que tragar. Vamos a hacer honor al apodo que Luis Pons le puso a Sastre, *Negociante*. Hablemos para solucionar este asunto…

La juez, muy enfadada:

—Enrique se merece que lo mande buscar, le monte una marimorena y lo mande a la cárcel.

—Clara, haz todo lo que tengas que hacer. Si quieres, puedes meterlo en el «trullo»; me da lo mismo porque yo no he sacado ni un duro de todo este muladar. Pero… ahora hay que detener a esos cuatro y terminar este embolao.

—¿Crees que tengo que acceder a lo que pide el abogado?

—¡Y… en seguida! —respondió, muy nervioso, Boyero.

La juez, impresionada por el calentón del comisario:

—No te permito que me trates así… Que venga el abogado Puchades.

Cuando se les unió el abogado de los hermanos Alcina reanudaron la charla. Juntos, acordaron todos los detalles para proceder a la detención de los cuatro delincuentes.

Boyero preguntó a Javier Puchades:

—¿Qué garantía necesitas de que se hará como quieres?

—Me basta con tu aceptación.

Todo parecía haberse solucionado.

Boyero dejó a Clara en el Juzgado.

Un rato después, Puchades y él llegaban a una vieja pensión en el barrio de El Cabañal. En habitaciones separadas estaban Artur, Mario, Fuenmayor y Samudio, vigilados por los guardias de seguridad privados.

Los cuatro seguían con las manos atadas a la espalda y llevaban gafas oscuras, ajustadas. Boyero supo, por la torpeza de movimientos, que los cristales no les permitían ver nada.

Boyero le quitó a Samudio las gafas y le preguntó por sus conversaciones con el abogado de los Alcina.

—No quieren que hable de ellos en el juicio. Me han ofrecido el mejor abogado para que se ocupe de mi defensa; tratan de asegurarse de que mi testimonio no les salpicará.

—Y has aceptado, claro.

Samudio se encogió de hombros, un tanto abatido. Sólo dijo que se negaría a contestar a más preguntas, si no era en presencia del abogado.

Boyero pasó al cuarto en el que estaba el otro colombiano. Al oír su saludo, Manuel Antonio Fuenmayor le preguntó:

—¿Comisario, qué ha pasado con No, el perro?

—Se llama Muanó; algo así como «gorrión», en francés. Se lo hemos devuelto a la familia Combetes.

El colombiano de la coleta pareció digerir el parecido entre Muanó y No.

—Es un perro cariñoso y muy listo. Pasa mucho calor en esta época.

Boyero le susurró:

—¿Sabes que estáis *chingados?*

Le quitó las gafas y le puso en la boca un cigarrillo, acercándole después la llama del encendedor. Fuenmayor aspiró largamente y soltó despacio la bocanada de humo, cerrando el ojo derecho para no sentir la molestia.

—Yo no he hecho lesiones culposas a nadie.

—¿Samudio?

Fuenmayor asintió imperceptiblemente.

—¿Por qué le disparó a Combetes?

—Por la mismita razón que a los otros victimarios.

—¿Donato y el enfermero?

Dijo que sí con la cabeza y la ceniza le cayó sobre el pecho.

Boyero le quitó de la boca el cigarrillo y lo colocó en el borde de la mesa. Le sirvió un vaso de agua, ayudándole a beber. Él le agradeció las atenciones con un suave gesto de los ojos.

—Dime, Fuenmayor, ¿por qué volvisteis al hospital, si ya teníais todo lo que os interesaba?

Repuso:

—Se empeño él en ir. Le da por ahí… De repente, algo le parece mal de un tipo y lo mata.

Quedaron mirándose en silencio.

Al día siguiente Boyero se encaminó al Hospital Levantino para ver a Luis Pons. Iba rememorando, como a fogonazos, todo lo sucedido. Desde que Enrique Sastre se lo presentó, el enfermero le había parecido un chico sencillo y buena gente. Una de esas personas a las que un policía no se tendría que enfrentar nunca.

No acababa de tener claro de qué astuto embrollo se había valido el secretario de juzgado para enredar a Luis y atraérselo. El comisario sabía que en un momento determinado cualquiera puede complicarse la vida y participar en un delito. Por otro lado, a Boyero le remordía la conciencia por no haber cuidado debidamente la seguridad de Luis Pons, obsesionado como estaba por esclarecer el asesinato de Combetes.

Esos pensamientos le desasosegaron y estuvo tentado de postergar la visita al hospital. Hubiera preferido no tener que acudir.

Al llegar a la habitación de Luis golpeó suavemente con los nudillos. El paciente abrió los ojos al oír la llamada; volvió despacio la cabeza hacia donde estaba el comisario y le invitó a pasar.

Justo Boyero comprobó que, tal como le acababa de informar una enfermera, Luis tenía ya sólo unos restos del aparatoso vendaje que había cubierto su cara.

Después de estrecharle afectuosamente la mano, Boyero se sentó con suavidad en la cama y se interesó por la evolución del herido.

—Los de «maxilo» me han asegurado que no me dejarán señales —comentó Luis—. Tendrán que hacerme algunas cosas más —dio un resoplido—. Me queda «mucho hospital», pero ya me noto mejor.

El comisario pasó a relatarle los últimos acontecimientos que habían supuesto el final de sus investigaciones; le contó con detalle las detenciones, informando de los cargos por asesinato que recaerían sobre los dos colombianos. Las buenas noticias que le traía Boyero estimularon visiblemente al enfermo.

Luis, como después de un vertiginoso análisis, exclamó con vehemencia:

—¡No dejo de pensar que ése loco colombiano casi me mata, pero gracias a él he recuperado a Adela!...

Su emoción le impidió seguir.

Justo Boyero quedó conmovido. Se dijo que le habría gustado ver a la chica junto a ellos y poder observarle la cara mientras su novio hacía aquella declaración amorosa.

Apenas repuesto de la emoción Luis dijo:

—Hasta hace poco nos veíamos a través del cristal de la UCI. Era suficiente...

—Seguro, Luis. Esos ojos verdes dan muchas ganas de vivir.

ÍNDICE